MĀORI AT HOME

An everyday guide to learning the Māori language

SCOTTY MORRISON (Ngāti Whakaue) is the presenter of current affairs programmes *Te Karere* and *Marae*. He holds a Master's degree (Education), is working towards his PhD, and has been an Adjunct Professor and the Director of Māori Student and Community Engagement at Auckland's Unitec Institute of Technology. He is the author of the bestselling *The Raupō Phrasebook of Modern Māori* and *Māori Made Easy*.

STACEY MORRISON (Ngāi Tahu, Te Arawa) is a radio and TV broadcaster whose projects have spanned 25 years. She is the co-host of the Drive show on The Hits, having previously worked on Mai FM and Flava, and her most recent TV credit is *Whānau Living*, which includes the whole Morrison family on screen, offering lifestyle ideas and projects, all while speaking te reo Māori.

In 2016, she won Te Taura Whiri i te Reo Māori's champion award for te reo Māori.

Stacey and Scotty have been foundation members of the community group Māori 4 Grown Ups and are both graduates of Te Panekiretanga o te Reo Māori Centre for Māori Language Excellence. They live in Auckland with their children Hawaiki, Kurawaka and Maiana.

MĀORI AT HOME

An everyday guide to learning the Māori language

Scotty and Stacey Morrison

RAUPO

RAUPŌ

UK | USA | Canada | Ireland | Australia
India | New Zealand | South Africa | China

Raupō is an imprint of the Penguin Random House group of companies, whose
addresses can be found at global.penguinrandomhouse.com.

Penguin
Random House
New Zealand

First published by Penguin Random House New Zealand, 2017

10 9 8 7 6 5 4 3 2 1

Cover design by areadesign.co.nz © Penguin Random House New Zealand
Text design by Shaun Jury © Penguin Random House New Zealand
Illustrations by Kiah Nagasaka
Photography by Carolyn Sylvester
Prepress by Image Centre Group
Printed and bound in Australia by Griffin Press,
an Accredited ISO AS/NZS 14001 Environmental Management Systems Printer

A catalogue record for this book is available from the National Library of
New Zealand.

ISBN 978-0-14-377147-0
eISBN 978-0-14-377148-7

penguin.co.nz

MIX
Paper from
responsible sources
FSC™ C009448

CONTENTS

KŌRERO WHAKATAKI

INTRODUCTION   7

The challenges of bringing up kids with te reo Māori   10

What to know about this book   12

Having a whānau plan   14

The basics to get you started   16

1. HEI MUA I TE KURA

BEFORE SCHOOL   32

2. HEI MURI I TE KURA

AFTER SCHOOL   50

3. TE WHANONGA

BEHAVIOUR   62

4. TE TUNU KAI

COOKING   76

5. TE HOKOMAHA

THE SUPERMARKET   90

6. NGĀ MŌKAI

PETS   105

7. TĀTAHI

THE BEACH   118

8. TE PAPA TĀKARO

THE PLAYGROUND   132

9. TE WĀ ME TE TATAU

TIME AND NUMBERS   145

10. NGĀ HUARERE
WEATHER   158

11. NGĀ HĀKINAKINA
SPORTS   171

12. NGĀ MĀUIUITANGA, TŪNGA
AILMENTS AND INJURIES   188

13. RĀ HURITAU
BIRTHDAYS   205

14. TE AO MATIHIKO/HANGARAU
THE DIGITAL WORLD/TECHNOLOGY   220

15. MAHI MĀRA
GARDENING   236

16. MAHI-Ā-KĀINGA
CHORES   249

17. KĪWAHA
IDIOMS AND SLANG   264

18. TAKE KŌRERO
HOT TOPICS   278

HE MIHI
ACKNOWLEDGEMENTS   284

KŌRERO WHAKATAKI
INTRODUCTION

Kia ora, and congratulations! If you've picked up this book, you're at least a little bit interested in using te reo Māori at home, so you've already taken the most important step! The next step is to understand that this book is about learning to *use* Māori with your whānau. That's slightly different to a book about learning Māori. This book is an up-and-go, quick survival guide to help you use te reo Māori with your family, rather than a step-by-step, methodical language-learning programme. Scotty has already written *Māori Made Easy* to meet that need, which you could work through whilst also using this book. *Māori at Home* is designed for busy whānau who want to express themselves in Māori *today*, and want some shortcuts, tips, tricks, fun, and insights to paddle their waka *faster and smarter* than we did!

After ten years of bringing up bilingual kids with Māori as the sole language of our parenting, we can't pretend it's always easy. But if you're keen to stay on this waka of discovery, adventure, enrichment and culture, we promise it can – and *will* – happen, and the journey of discovery means you reach a beautiful destination every day.

In the last decade we've researched, tutored, lectured, and done media interviews on this topic; helped build Māori-language-speaking communities for whānau; written language strategies; and Scotty has written two books: *The Raupō Phrasebook of Modern Māori* and *Māori Made Easy*.

We grew up knowing virtually nothing of Māori language apart from basic words most New Zealanders know: whānau, aroha, marae, Māori, kia ora. As adults, we learned in different ways, for different reasons. Scotty chose Māori as a schedule-filler at university then fell in love with it, and in learning Māori, found a sense of purpose (a polite way of saying he was going to varsity for mostly social reasons until then!). Stacey learned Japanese first as an exchange student and then realised she yearned to learn her own language, too. A sensitive soul, Stacey had often felt awkward and left out in Māori settings, and even after starting her learning, she went through years of fumbling through Māori scripts on television, and trying to laugh at the right times when she couldn't quite understand entertaining Māori speakers.

Both of us knew we wanted our children to have a different experience from our own, to be brought up with te reo Māori as their mother tongue, and to experience all of the benefits that would bring. We started researching bilingualism when our mātāmua (*eldest child*) Hawaiki was still in the womb, learning that bilingual experiences can activate language-learning pathways in babies' brains. We liken it to a pathway forged through virgin snow – cutting the path is always the hardest, but once it is created, in this case, the 'language pathway', our brains know the way and can get to where they need to more easily. It's definitely harder to learn a second language as an adult, so don't ever beat yourself up about it – we'll remind you of that a lot! While we're talking about your self-esteem, let's talk about how your kids are feeling about themselves, too. Another fascinating raft of research shows children gain increased self-esteem from learning their heritage language.

Children gain increased
self-esteem from learning
their heritage language

THE CHALLENGES OF BRINGING UP KIDS WITH TE REO MĀORI

English does a great job of being a dominant language – it really is everywhere: in public, on TV, online, at the shops, at the playground, in our wider families. Our kids hear English most places they go in New Zealand. So creating Māori-language environments without quickly giving in to the natural default language of English can be hard.

There are also schooling challenges. When you want Māori language to be part of your children's schooling, it's not as simple as going to the school around the corner from you because they may not offer what you're after. Even in Māori-language schooling, there are decisions to make around proximity to the school, the amount of reo, the kaupapa (*philosophy*) of the school, your capacity to support your children in homework, your hopes for their English literacy, and so on. Expectations of parents with kids in Māori-language schooling are high. There are whānau hui to attend, kapa haka, marae noho (*overnight stays on marae*) and fundraisers, and sometimes expectations around the amount of Māori you speak at home. This is a challenge for many of us because, as second-language learners, many of us have sent our kids to kura hoping that they will 'get the reo' in a way we didn't (and still haven't quite mastered). Many kōhanga and kura see the benefit of having Māori language at home to support the child's learning, and some ask the whole whānau to be engaged in reo learning or speaking. When we were considering which school to choose for our son, we asked one of our mentors Sir Tīmoti Kāretu for advice. He said, in his inimitable way: Ko te kāinga te mauri o te reo (*The home offers the vital essence of language*).

He hit a home run with that one, and we've referred to this statement ever since. When you accept this concept, though – that language vitality emerges from your own home – it means you're picking up the challenge of the opportunity to ensure at least some of that vitality comes in the form of Māori.

Ko te kāinga te
mauri o te reo

*The home offers the vital
essence of language*
– SIR TĪMOTI KĀRETU

Māori-language resources for children are so much more accessible and numerous than they used to be, but they're still not as readily available as English books, games, TV shows, and digital apps are. Kids are very perceptive and pick up on how much a language is valued. Having ways of expressing themselves in Māori that are relevant, fun and cool for them builds the value they place on being a Māori speaker.

So, you know, speaking Māori with your kids in your community can start conversations you may not expect.

WHAT TO KNOW ABOUT THIS BOOK

A wise woman said to us when Stacey was carrying our third child: 'It's chaos. Just embrace the chaos and you'll be fine.' Although this was a mildly terrifying concept at the time, she was right. The same can be said of language learning as an adult: it's chaos, just embrace it and you'll be fine. This is especially true when you're part of a busy family aiming to raise your tamariki with Māori as a vibrant language of your home. Every single day is a learning opportunity for kids; we can't waste one of those days that could be a chance for them to hear, use, learn and speak Māori. Today is the day to go for it! Drop the excuses and simply enjoy speaking Māori in your home. Not 'when I'm fluent', not 'one day', not 'when I'm not so busy' – *today*. This book will help you fake it until you make it, as well as offer ideas and extra vocabulary for those who have 'made it' and are good speakers. What it won't do is go into lengthy linguistic explanations because . . . this is not a grammar book – it's an up-and-go survival guide, remember?!

As we've said earlier, Scotty has already written two books that can help you get to a conversational level of Māori, and there are plenty of good books, courses and resources to cater to those of us who respond well to learning grammar and a traditional style of language learning. But we've identified particular challenges facing whānau who want to learn and use Māori in their homes:

- Kiwi adults often haven't been given a grounding in linguistics through our schooling, especially if we haven't learned languages other than English to a fluent level. If we've come through school without having much to do with 'statives' and 'passive verbs' we get easily put off when faced with these terms and concepts. We start with romantic ideas of learning te reo Māori, but when we come up against the more technical, grammatical aspects it's easy to give up!
- Parents are time-poor, so they need usable, relevant learning fixes that fit into their schedule.
- It's often hard to find ways to learn functional language for use in the home.

This book, and the learning style we've used at our wānanga, is aimed to mitigate these challenges. So:

- We'll give repeated examples of very common sentence structures relating to the topic of each chapter rather than go into a lot of grammar. If you continually use these structures, without worrying too much about grammatical analysis of *why* you're saying each word, you'll find you're learning by osmosis, as children do!
- We'll give you phrases that are ready to use, relevant to all parts of your family life, and are those you'll likely use every single day. There's a lot of monotony in parenting, so let's use that to our advantage and learn to say the same old things day after day, time after time . . . but in Māori!
- We focus on the functional language we've discovered we needed to know as we raise Māori-speaking children. Studies show we use 20 per cent of a language 80 per cent of the time. So we've focused on that most-used 20 per cent of everyday language for the home. Remember, this book is all about *using* the reo, not just learning it.

If you're already competent speakers who are using Māori at home, we hope you'll still find phrases and terms that are helpful as a reference. If you're on your way to competency, this book asks you to:

- Learn the way babies and infants do, through repetition, imitation, and context;
- Learn through activities and daily life;
- Learn what is relevant to you and your whānau;
- Not so much 'teach' your kids te reo Māori, but teach them how to *use* te reo Māori;
- Choose events, scenarios, times, places and situations mentioned in this book that match up to your whānau life, then plan how to use those phrases and vocabulary in your home (we will give you ideas and activities to help);
- Avoid all-or-nothing thinking.

If you use a couple of sentences here and there – great. If you decide to make breakfast time your Māori-speaking time – wonderful. If you're aiming for full immersion – go for gold. The most important thing is to make a plan that works for you and your whānau, your stage of learning, and your abilities. Then as you all grow, your plan will adjust with time.

HAVING A WHĀNAU PLAN

Here's a hack we've learned the hard way: goals and a plan to achieve those goals are two ways to fast track your learning as a whānau.

As newlyweds and newly hapū (*pregnant*), we proclaimed we would only speak Māori to our tamariki. That was the full extent of our 'plan'. We hadn't really assessed our situation or formally put plans in place. So as needs arose we had to adjust quickly and create solutions for our challenges as we went. Since then, and through working with whānau to develop their language strategies at Kura Whakarauora (language revitalisation workshops), we have seen the benefits of having a plan. The key is, it needs to be tailor-made and designed for your whānau, stages of learning and learning styles, personalities, challenges, desires and talents. If we gave you a standard plan, it wouldn't necessarily work for you because a reo plan is not a formulaic journey, there's no 'one rule' that will work for all. We always say that learning te reo Māori is not just an intellectual pursuit but an emotional and spiritual one too. Your plan can take different forms, but there are some touchstone points you could consider.

Vision: What's your long-term vision for the reo in your whānau? This could be very long-term or medium-term.

Short-term goals: What are the short-term goals you want to achieve? Perhaps using Māori during trips to the playground, or making your car a Māori-only waka!

Stocktake: What are the reo abilities in your whānau, both immediate and wider?

Investment: What investments can you make, in terms of investing time, investing study efforts, investing in schooling options, and so on? It's important to be realistic about this.

Challenges: What are the challenges you face, and may have to overcome, to reach your goals and vision?

Support: Who will be on your team? Teachers, kaumātua, perhaps a pou reo, or mentor for your whānau? This is where Māori-language-speaking communities, online groups, and whānau from your children's school can help you sustain your efforts, and actually enjoy the experience!

Methods and approach: What are the tactics and approaches you will take? Perhaps the parents take turns doing night classes or whānau-learning programmes, or you decide to use this book to help you create immersion environments for certain times of the day, or at certain places or events.

Wins and rewards: How will you celebrate the wins as you achieve them? A sense of achievement helps everyone build good feelings towards the reo. It could be a whānau outing, or quick rewards like time on the computer, or getting to choose what's for dinner. It could be a big road-trip to your marae.

Perhaps you name the plan and what it means for your whānau with a vision of four years of strategies to ensure the family has become fluent within that time, for example, *Te Whānau Morihana – Whā Tau for a Fluent Whānau* (The Morrisons – Four Years for a Fluent Family).

We've seen many forms of whānau language plan. Some are PowerPoint presentations, some are posters or a treaty of agreement, or even a tree that signifies the growth of the reo in the whānau. We can say for sure that spending some time considering these sorts of questions can help whānau achieve the Māori language goals they are aiming for.

Whether you make a plan or not, as you use this book, please do celebrate whatever Māori language successes your whānau has, no matter how small. Our kids' first words being in Māori was one of the biggest highs in our parenting lives! Using Māori at home is a big gig; cut yourself some slack when it's tough.

THE BASICS TO GET YOU STARTED

Although we won't go much into grammar, here are the basics you require to pronounce Māori. If you're struggling, remember the *Māori Made Easy* book and website can help reiterate how words should sound; and at maoridictionary.co.nz there are audio examples of many words you will find in this book.

PRONUNCIATION – THE FIRST STEP TO CORRECT TE REO MĀORI

Māori is a phonetic language that, when compared with other languages of the world, is reasonably simple to pronounce. All that is required is a bit of attention, a dose of respect, and a sprinkle of patience. The key to correct pronunciation is to

Parents are time-poor, so they need usable, relevant learning fixes that fit into their schedule

master the sounds of the five vowels: *a, e, i, o, u*. The best way, for most people, to learn the vowel sounds is by using examples in English.

> The vowel **a** is pronounced as in the English c<u>u</u>t
> The vowel **e** is pronounced as in the English <u>e</u>gg
> The vowel **i** is pronounced as in the English k<u>ey</u>
> The vowel **o** is pronounced as in the English p<u>aw</u>
> The vowel **u** is pronounced as in the English sh<u>oe</u>

There are long and short vowel sounds with macrons used on the long vowels to indicate the double vowel sound.

> The vowel **ā** is pronounced as in the English c<u>ar</u>
> The vowel **ē** is pronounced as in the English p<u>ear</u>
> The vowel **ī** is pronounced as in the English <u>ee</u>l
> The vowel **ō** is pronounced as in the English p<u>our</u>
> The vowel **ū** is pronounced as in the English r<u>oo</u>f

If you give the wrong sound to these vowels, you'll most likely mess up the correct pronunciation of a Māori name or word. The words *Taranaki* and *Waikato*, for example, are commonly mispronounced because the sound of the vowel *a* is said flat like you might hear in the word *cat*. Sometimes long vowel sounds are shortened or short vowel sounds are lengthened which gives the word a whole new meaning. The most obvious example of this is the word *mana* which translates to *power, authority, control, influence*. As you can see by the way it is written, there are no macrons on the two vowels in *mana,* and yet, even in broadcasting, people tend to assign a macron to the first *a* so it gets mispronounced as *māna* which is a word denoting possession and translates to *for him/her*. Once you've got the hang of correct pronunciation of the vowel sounds, it should give you the confidence to dive on in there and make an honest attempt to say any Māori word correctly because, apart from length, the pronunciation of each vowel in Māori words is constant.

There are 10 consonants: *h, k, m, n, p, r, t, w, ng, wh*. The pronunciation of these consonants is pretty straightforward and they are generally pronounced as they are in English, but most people have some difficulty with the *ng* combination. The *ng* is said as it sounds in the English word *singer*. A common mistake is to pronounce it as it appears in the word *finger*. The *wh* combination is usually pronounced as an English *f* sound except in the Taranaki region where it is omitted for a glottal stop. The word *Whanganui* is written with an *h* in it, but a speaker from the area will say it like this *W'anganui*. The *r* is rolled. It almost sounds similar to a *d* in English, but softer like the *d* in the word *shudder*.

THE GRAMMAR USED IN THIS BOOK

As we've mentioned, the word *grammar* tends to switch most people off, but it is an area that eventually becomes vital to proficiency in te reo and accuracy when you are conversing with your kids at home or in the many other contexts you encounter together as a whānau.

We have used a technique in this book which encourages the recognition of various sentence structures through repetition. Each chapter has sample sentences that are grouped together based on their functions. For example, sets of descriptive sentences and phrases are grouped together using the descriptive sentence starter *He* . . . ; future tense action phrases are grouped together using the future tense sentence starters *Ka* . . . and *Ki te* . . . *ka* . . . ; location phrases are grouped together using *Kei hea* . . .? for *Where is* . . .? and *I hea* . . .? for *Where was* . . .?

The idea is for you to become familiar with how to start each sentence, then, as your range of vocabulary increases over time, you will develop the ability to interchange words in and out of your sentences to extend your fluency. To illustrate this technique further, let's take a look at some *Kei hea?* sentences. Two examples may be:

Kei hea ō hū?	*Where are your shoes?*
Kei hea tō hū?	*Where is your shoe?*

As you use these phrases and your familiarity with them grows, we hope you can then start to exchange the noun or the final word in the sentence for any other noun, so you can start to say things like:

Kei hea ō **kākahu**?	*Where are your clothes?*
Kei hea ō **pene**?	*Where are your pens?*
Kei hea tō **pōtae**?	*Where is your hat?*
Kei hea tō **pāpā**?	*Where is your father?*

The notes that follow are designed to give you a brief introduction to aspects of Māori language sentence structure. So let's begin with tense markers.

KUPU TOHU WĀ
TENSE MARKERS

Tense markers are important because they indicate a tense shift in the conversation. You don't want to be telling someone that you are doing something tomorrow when you actually did it yesterday, do you? So your basic action phrase tense markers are represented by the following verbal particles:

Kei te . . . /E . . . ana	*Present tense active*
I . . .	*Past tense*
Kua . . .	*An action has occurred*
Ka . . .	*Future tense*

The basic action phrase looks like this:
Tense marker + Verb + Agent (of the action)

Kei te + haere + ia	*He/She is going*

Let's look at some examples using the verb *oma* or *run* and the pronoun *ia* or *he/she* to highlight the differences of each tense marker.

Kei te . . . (Present tense marker)

Kei te oma ia   *He/She is running*

I . . . (Past tense)

I oma ia   *He/She ran*

Kua . . . (An action has occurred)

Kua oma ia   *He/She has run*

Ka . . . (Future tense)

Ka oma ia   *He/She will run*

All of these statements can be turned into a question by a simple change in voice inflection or the addition of a question mark at the end of the sentence.

Kei te . . . (Present tense question)

Kei te oma ia?   *Is he/she running?*

I . . . (Past tense question)

I oma ia?   *Did he/she run?*

Kua . . . (Question – has the action occurred?)

Kua oma ia?   *Has he/she run yet?*

Ka . . . (Future tense question – will?)

Ka oma ia?   *Will he/she run?*

In our experience, most people have a problem with the *kua* tense marker. The rest seem to sit ok with the majority after a bit of practice. So here's a little tip to help you understand *kua*. It's one of the few times I would advocate thinking English when you're attempting to speak Māori, but if your English sentence has the word *have* or *has* in it, then *kua* is the tense marker you will start your Māori sentence with. The best way for you to comprehend this is to view some examples, so look at these; I have purposely placed the English sentences on the left side of the page because, in this instance, you are referring to the English language to help you begin your Māori phrase.

I **have** eaten	***Kua*** *kai au*
I **have** finished	***Kua*** *mutu au*
I **have** been defeated	***Kua*** *hinga au*
Your ball **has** gone missing	***Kua*** *ngaro tō pōro*
The milk **has** run out	***Kua*** *pau te miraka*

And again, where appropriate, some of these statements can be turned into questions, and the above formula still works!

Have I been defeated (lost)?	***Kua*** *hinga au?*
Has the dog died?	***Kua*** *mate te kurī?*
Has the milk run out?	***Kua*** *pau te miraka?*

NGĀ WHAKAHAU
GIVING INSTRUCTIONS

When we run wānanga with parents, their eyes light up when we talk about giving instructions, funnily enough! There are a few ways to do that and we'll start with e. The particle e is used when the command word has either one long or two short vowels.

E tū!	*Stand up!*
E noho!	*Sit down!*
E moe!	*Sleep!*
E oho!	*Wake up!*
E oma!	*Run!*
E karo!	*Dodge!*
E inu!	*Drink up!*
E kai!	*Eat up!*

So, what do we do if the command word has more than two vowels?! Pretty simple, e hoa mā, drop the e.

Titiro mai!	*Look here!*
Titiro atu!	*Look over there!*
Titiro ki te karoro!	*Look at the seagull!*
Haere mai!	*Come here!*
Haere atu!	*Go away!*

Haere!	*Go!*
Maranga!	*Get up!*
Whakarongo!	*Listen!*
Hoihoi!	*Be quiet! It's noisy!*
Takoto!	*Lie down!*
Tīraha!	*Lie down on your back!*
Tāpapa!	*Lie face down!*
Taihoa!	*Wait on!*
Pātai ki a ia!	*Ask him/her!*
Whakarongo ki tēnei waiata!	*Listen to this song!*

The following commands contain words known as *statives*. They encourage the person on the receiving end to achieve a particular state or condition, hence the term stative. Notice that *kia* is used in front of stative words to impart the command.

Kia kaha!	*Be strong!*
Kia toa!	*Be determined!*
Kia manawanui!	*Be steadfast!*
Kia tūpato!	*Be careful!*
Kia hakune!	*Be deliberate!*
Kia mataara!	*Be alert!*
Kia tere!	*Be quick!*
Kia tau!	*Be settled, settle down!*

Using *me* is another way of delivering a command. Some people say it's a more polite and calm way to deliver a command, but that all depends on the tone in the voice! The *me* can be used to suggest something should be done, or an action should be carried out.

Me oho!	*You should wake up!*
Me oma!	*You should run!*
Me inu!	*You should drink!*
Me titiro mai!	*You should look here!*
Me titiro ki te karoro!	*You should look at the seagull!*

Me haere mai!	*You should come here!*
Me maranga!	*You should get up!*
Me whakarongo!	*You should listen!*
Me toa!	*You should be determined!*
Me manawanui!	*You should be steadfast!*
Me tūpato!	*You should be careful!*

The final way of issuing an order or command is to use a passive ending. The *me* cannot be used to begin these types of sentences.

Unuhia ō hū!	*Take off your shoes!*
Katia te kūaha!	*Close the door!*
Huakina te matapihi!	*Open the window!*
Kainga ō tōhi!	*Eat your toast!*
Whakapaitia tō moenga	*Make your bed!*

If you are negating commands, use the negative form *kaua e . . .*

Kaua e titiro mai!	*Don't look here!*
Kaua e titiro atu!	*Don't look over there!*
Kaua e haere mai!	*Don't come here!*
Kaua e haere atu!	*Don't go away!*
Kaua e haere!	*Don't go!*
Kaua e maranga!	*Don't get up!*

How was that? Pretty straightforward? You are merely placing the *kaua e . . .* in front of the command! If you think that last lot was easy, check these ones out.

Kaua e tū!	*Don't stand up!*
Kaua e noho!	*Don't sit down!*
Kaua e moe!	*Don't sleep!*
Kaua e oho!	*Don't wake up!*
Kaua e oma!	*Don't run!*
Kaua e karo!	*Don't dodge!*
Kaua e inu!	*Don't drink!*
Kaua e kai!	*Don't eat!*

Ok, hang on a minute! It can't be this simple when negating the commands that use a passive ending, surely?! E hoa, just carry on doing what you're doing. Putting *kaua e . . .* in front will work the majority of the time.

Kaua e unuhia ō hū!	*Don't take off your shoes!*
Kaua e katia te kūaha!	*Don't close the door!*
Kaua e huakina te matapihi!	*Don't open the window!*
Kaua e kainga ō tōhi!	*Don't eat your toast!*

Kāti is generally used to tell someone to stop doing something – slightly different than the *kaua*.

Kāti tō pēnā	*Stop being like that*
Kāti te kai	*Stop eating*
Kāti te mātakitaki pouaka whakaata	*Stop watching TV*
Kāti te whirinaki ki ngā hangarau	*Stop continuously playing on your electronic devices*

TŪPOU
PERSONAL PRONOUNS

Before going much further you're going to need to know about words like *koe, au, ia, tāua, rāua, māua, kōrua, tātou, rātou, mātou,* and *koutou*. These words are called personal pronouns, and, unlike the English language, they aren't gender-specific. Another significant difference between the Māori pronouns and the English ones is the presence of dual pronouns, i.e. *tāua, rāua* and *kōrua*. These don't exist in English.

I've always found the following table helpful when it comes to remembering:

	Includes the speaker and listener(s)	Excludes the listener(s)	Excludes the speaker	Neither the speaker nor listener(s)
One person		au / ahau (I, me)	koe (you)	ia (he, she, him, her)
Two people	tāua (we, us, you and I)	māua (we, us, but not you)	kōrua (you two)	rāua (they, them)
Three or more people	tātou (we, us, including you)	mātou (we, us, but not you)	koutou (you)	rātou (they, them)

Source: John C. Moorfield, *Te Kākano*, Longman Paul, 1988.

You might want to put some effort into practising these words for fear of unintentionally excluding someone. For example, you may say to your child, 'Kei te haere mātou ki te papa tākaro' – 'We (us, not you) are going to the playground' – which they will probably not be very happy about!

MĀ WAI E MAHI?
WHO WILL DO IT?

This is a future tense question to find out who or what will do the action. The combination of the particles *mā* and *e* form the basic structure of the sentence.

Mā wai ngā kākahu **e** horoi?	*Who will wash the clothes?*
Mā wai te waka **e** hautū?	*Who will drive the car?*
Mā wai tēnei mahi **e** mahi?	*Who will do this job?*
Mā wai au **e** āwhina?	*Who will help me?*
Māku ngā kākahu **e** horoi	*I will wash the clothes*
Māku te waka **e** hautū	*I will drive the car*
Mā tāua tēnei mahi **e** mahi	*We (you and I) will do this job*
Māku koe **e** āwhina	*I will help you*

The *mā . . . e . . .* pattern is the future version of the *nā . . . i . . .* pattern, so if you want to ask who *performed* a particular action, then you say, 'Nā wai i mahi?' (*Who did it?*) Let's use the above examples again, but put them into past tense using, *nā . . . i . . .*

Nā wai ngā kākahu **i** horoi?	*Who washed the clothes?*
Nā wai te waka **i** hautū?	*Who drove the car?*
Nā wai tēnei mahi **i** mahi?	*Who did this (job)?*
Nā wai au **i** āwhina?	*Who helped me?*
Nāku ngā kākahu **i** horoi	*I washed the clothes*
Nāku te waka **i** hautū	*I drove the car*
Nā tāua tēnei mahi **i** mahi	*We (you and I) did this job*
Nāku koe **i** āwhina	*I helped you*

KUPU WĀHI
LOCATIVE WORDS

To ask where the location of something or someone is, use the question word *hea*. If you want to know where the person or object is, or where it will be, use *kei hea . . .* , and if you want to ask where it was, use *i hea . . .*

Kei hea te rau mamao?	*Where is the remote control?*
Kei hea ngā kai?	*Where is the food?*
Kei hea koe?	*Where are you?*
Kei hea tō pēke kura?	*Where is your school bag?*
I hea ō pukapuka?	*Where were your books?*
I hea koe?	*Where were you?*
I hea te rorohiko?	*Where was the computer?*

HE WHAKAATU I TE ĀHUA
DESCRIPTIVE SENTENCES

The Māori sentence structure for describing things is, again, quite different to English ones. Probably the major difference to point out at this time is that te reo Māori follows a *noun + adjective* structure, while English follows an *adjective + noun* structure. So if the noun was *tāne* or *man* and the adjective was *nui* or *big,* the Māori sentence would be *tāne nui,* but the English structure would be *big man.*

Descriptive sentences are introduced by the particle *he*, and usually will end with the subject or a possessive:

He wahine rerehua ia	*She is a beautiful woman*
He whare teitei tērā	*That house (over there) is very tall*
He waka pango	*A black car*
He kōtiro tūpore tāna tamāhine	*Her daughter is a very caring girl*
He tāne pukukino ia	*He is a grumpy man*
He rākau māmore tēnei	*This is a leafless tree*
He huarahi kōpikopiko tēnei	*This is a windy road*
He tangata harikoa kōrua	*You two are very happy-go-lucky*
He kapa koretake mātou	*We are a useless team*
He rangi wera tēnei	*This is a hot day*
He waewae tere ōna	*She has got fast legs*
He kuia mātau ia	*She is a very knowledgeable old lady*
He kaitākaro wheke kurī ia	*He is a hot-headed player*
He kaihautū pai ia	*She is a good driver*

He can also be used with an adjective to describe what a person is like at performing a particular activity:

He pai ia ki te tākaro whutupōro	*He is a good rugby player*
He toa ia ki te tunu kai	*He is a magnificent cook*
He tau koe ki te kanikani	*You are an awesome dancer*
He tohunga ki te mahi toi	*An expert artist*
He pōturi a Para ki te oma	*Para is a slow runner*
He ninipa tō kapa ki te hopu pōro	*Your team has no ball-catching skills*
He tere ia ki te oma	*He is a fast runner*
He rawe au ki te waruwaru kūmara	*I am great at peeling sweet potato*

Right, you're ready to embrace the chaos! So let's get into the fun of whānau life with te reo Māori.

PĀTAI AUAU
KEY QUESTIONS AND STATEMENTS

To get us started, let's take a quick look at some key questions you need to know to be able to get what you need or to elicit the information you require from your kids.

Ko wai?	*Who?*
Kei hea?	*Where?*
Āhea?	*When?*
Pēhea?	*How?*
He pēhea te . . .?	*How is the . . .?*
I pēhea te . . .?	*How was the . . .?*
E hia?	*How many (are there)?*
Kia hia?	*How many (do you want)?*
E hia te utu?	*How much does it cost?*
E hia te roa?	*How long?*
E hia te tawhiti?	*How far?*
He aha?	*What?*
He aha tēnei?	*What's this?*
He aha ēnei?	*What are these?*
He aha tēnā?	*What is that (by you)?*
He aha ēnā?	*What are those (by you)?*
He aha tērā?	*What is that (over there)?*
He aha ērā?	*What are those (over there)?*
He aha tō hiahia?	*What do you want?*
He aha te kupu Māori mō . . .?	*What is the Māori word for . . .?*
He aha te whakamārama mō tēnā kupu?	*What is the meaning of that word?*
Me aha au?	*What must I do?*
He . . . kei konei?	*Is there a . . . around here?*
He aha ai?	*Why?*
He aha i pēnei ai?	*Why is it like this?*

He aha i pēnā ai?	*Why is it like that?*
Kua kite koe i . . .?	*Have you seen . . .?*
Me pēhea taku kimi i . . .?	*How do I find . . .?*
Homai koa he . . .?	*May I have . . .?*
E hiahia ana au ki . . .	*I want/would like . . .*
Kāore au e hiahia ana ki . . .	*I don't want . . .*
He aha te mate?	*What's the matter?*
Āwhina mai koa?	*Can you help me please?*
Kei te pīrangi āwhina au	*I need some help please*
Kei te pīrangi āwhina koe?	*Do you need some help?*

The following statements will be useful to know:

Kāore i a au	*I don't have it*
Kei a . . .	*. . . has it*
Kei te rata au ki tēnā	*I like that*
Kei te pai tēnā	*Ok/That's fine*
Kei te ngaro au	*I am lost*
Kei te kimi māua/mātou i . . .	*We (us two/3 or more – not you) are looking for . . .*
Anei!	*Here (it is)!*
Arā ia!	*There he/she is!*
Arā rāua!	*There they (both) are!*
Arā rātou!	*There they (3 or more) are!*
He mea nui!	*It's important!*
He kōhukihuki!	*It's urgent!*
He kupu kōhukihuki!	*An urgent message!*
Kei te hē tāu kōrero!	*What you are saying is wrong!*
Kei te hē koe!	*You are mistaken!*
Kei te hē tō mahi!	*What you are doing is wrong!*
Kei te hiamoe au	*I'm tired*
Kei te whāwhai au	*I'm in a hurry*
Kua rite au!	*I'm ready!*
Kei te hiakai au	*I'm hungry*
Kei te hiainu au	*I'm thirsty*

Taku mōhio, āe	*I think so*
Kei te mōhio au	*I know*
Aua	*I don't know*
Kāore au i te mōhio	*I don't know*
Kāore au i mōhio	*I didn't know*
Waiho au!	*Leave me alone!*
Taihoa!	*Wait a minute!*
(He) Nui rawa te utu!	*It's too expensive!*
(He) Pai te utu!	*It's a good price!*
(He) Māmā te utu!	*It's cheap!*
Mā konei	*This way*
Mā konā	*That way (by you)*
Mā korā	*That way (over there)*
E noho!	*Take a seat/sit down!*
Kuhu mai!	*Come in!*
Koinā noa iho	*That's all*
Kei hea te wharepaku?	*Where is the restroom?*
Homai te . . .	*Pass the . . . (singular)*
Homai ngā . . .	*Pass the . . . (plural)*

1. HEI MUA I TE KURA
BEFORE SCHOOL

KŌRERO WHAKATAKI
INTRODUCTION

One of the easiest times to begin using te reo Māori is in the morning, from when the kids get out of bed until they leave for school. This is because you tend to say the same things to kids each and every morning – it's very repetitive. Your home is also a safe, non-threatening environment where you and the kids can have as much fun with the language as you like. Remember, speaking Māori is like driving a car; if you do it every day, it becomes a very natural and easy thing to do.

KUPU WHAI TAKE
HANDY WORDS

Ata mārie	*Good morning*
Mōrena	*Good morning*
E oho	*Wake up*
Maranga	*Get up*
Tohetaka	*Sleepyhead*
Parakuihi	*Breakfast*
Rāhipere	*Raspberry*
Huakiwi	*Kiwifruit*
Rōpere	*Strawberry*
Pītiti	*Peach*
Āporo	*Apple*

One of the easiest times to begin using te reo Māori is in the morning, from when the kids get out of bed until they leave for school – it's very repetitive

Patatini kuihi	*Gooseberry*
Patatini kikorangi/Tūrutu	*Blueberry*
Kerepe	*Grape*
Maika	*Banana*
Ārani	*Orange*
Pea	*Pear*
Tōhi	*Toast*
Parāoa	*Bread*
Parāoa pū kākano	*Brown bread*
Pāpaki	*Pita bread*
Rohi iti	*Bun*
Miraka	*Milk*
Miraka whakatiki	*Low-fat milk*
Miraka pē/Waipupuru	*Yoghurt*
Kirīmi	*Cream*
Pata	*Butter*
Tīhi	*Cheese*
Huka	*Sugar*
Kawhe	*Coffee*
Tī	*Tea*
Korarā	*Milo*
Tote	*Salt*
Pepa	*Pepper*
Hēki	*Eggs*
Kihu parāoa	*Spaghetti*
Pīni maoa	*Baked beans*
Tiamu	*Jam*
Mīere	*Honey*
Īhipani	*Marmite*
Pū kākano	*Cereal*
Wīti pīki	*Weet-Bix*
Pāreti	*Porridge*
Puarere	*Rice bubbles*
Kāngarere	*Cornflakes*
Patahua	*Muesli*

Raupāpapa	*Bran flakes*
Pāraharaha	*Pancakes*
Puka heketua	*Toilet paper*
Patu mōrūruru	*Antiperspirant/Deodorant*
Hinu makawe	*Hair cream*
Pia makawe	*Hair gel*
Rehu makawe	*Hair spray*
Huka makawe	*Hair mousse*
Karahā	*Mouth freshener*
Pani ngutu	*Lipstick*
Pūreke	*Ointment*
Puru taiawa	*Tampon*
Kope wahine	*Sanitary pad*
Kukuweu	*Tweezers*
Rautangi	*Perfume*
Monoku	*Moisturiser*
Pare tīkākā	*Sunblock*
Taitai niho	*Toothbrush*
Pēniho	*Toothpaste*

RERENGA WHAI TAKE
HANDY PHRASES

Description (*He*); What would you like (to eat)? (*He aha māu?*)

He aha tō parakuihi, e tama?	*What do you want for breakfast, my son?*
He aha māu mō te parakuihi, e kō?	*What would you like for breakfast, my girl?*
He puarere māu?	*Would you like some rice bubbles?*
He kāngarere?	*Cornflakes?*
He wīti pīki?	*Weet-Bix?*
He korarā?	*Milo?*
He patahua māku, tēnā koa	*I'll have muesli, please*

He wai ārani	*Orange juice*
He wai āporo	*Apple juice*
He tōhi	*Toast*
He aha mō runga i tō tōhi?	*What would you like on your toast?*
He aha ki runga i ō tōhi?	*What would you like on your toast (plural – ō)?*
He tiamu	*Jam*
He mīere	*Honey*
He pata pīnati	*Peanut butter*
He maika	*Banana*
He aha māu ki roto i ō hanawiti?	*What would you like in your sandwiches?*
He heihei	*Chicken*
He poaka tauraki	*Ham*

Location (*Kei hea/I hea?*)

Kei hea tō pēke kura/pīkau?	*Where is your school bag?*
Kei hea tō pouaka kai?	*Where is your lunchbox?*
Kei hea ō kahu kura?	*Where is your school uniform?*
Kei roto ō kahu kura i te whata	*Your school uniform is in the wardrobe*
Kei runga ō kākahu mō te rā nei i tō moenga	*Your clothes for today are on your bed*
Kei hea ō hū?	*Where are your shoes?*
Kei runga ō hū i ngā hautō	*Your shoes are on top of the drawers*
Kei hea tō mahi kāinga?	*Where is your homework?*
Raua atu ki tō pēke	*Put it in your bag*

Command (Should = *Me*)

Me oho koe	*Time to wake up*
Me maranga i tō moenga	*Get out of bed*

Me whakatiriwhana tērā tohetaka i te moenga	*Go and drag that sleepyhead out of bed*
Me horoi koe i tō kanohi	*Wash your face*
Me panoni koe i ō kākahu	*Change your clothes*
Me kuhu koe i ō kahu kura/ kākahu mō te kura	*Put on your uniform/clothes for school*
Me parakuihi koe	*Have some breakfast*
Me tuku parāoa koe ki te whakatōhi	*Put some bread in the toaster*
Me pani ki te pata me te tiamu	*Spread some butter and jam on it*
Me tuku ō utauta ki te pūrere horoi utauta	*Put your dishes in the dishwasher*
Me āka/waku niho koe	*Brush your teeth*
Me heru au i ō makawe?	*Shall I brush your hair?*
Me here koe i/whiriwhiri ō makawe	*Tie up/Plait your hair*
Me haere/tomo koe ki te waka	*Go to/get in the car*
Me haere ki te kura	*Go to school*

Command (Don't = *Kaua/Kāti*)

Kāti te whakaroaroa	*Stop procrastinating*
Kaua e waiho tō rūma kia tīwekaweka tonu (me whakapai!)	*Don't leave your room in an untidy state (clean it up!)*
Kaua e waiho ō taonga kia marara noa ki te papa	*Don't leave your stuff scattered on the floor*
Kaua e waiho ō kākahu ki wīwī, ki wāwā	*Don't leave your clothes all over the place*
Kaua e waiho māku ō mea e kohikohi	*Don't leave it up to me to collect them all up*
Kāti te raweke hangarau, he wā parakuihi tēnei!	*Stop playing with your electronic devices, it's breakfast time!*

Kaua e waiho ko tīwekaweka, engari ko pūhangaiti kē	*Don't leave things untidy, leave them nice and ordered (tidy your room!)*
Kaua māu tēnā e kawe (ipu waiwera), kei wera koe	*Don't you carry that (boiled jug), you may burn yourself*

Command (Do = *Kia/E*)

Kia tere te whakamau kākahu	*Hurry up and put on your clothes*
Kia tere te kai, kei tōmuri tātou	*Hurry up and eat, or we'll (all of us) be late*
Kia tere te whakaoti i ō mahi kāinga	*Hurry up and finish your homework*
Kia tere tō whakarite i a koe anō, me haere tātou!	*Hurry up and get yourself ready, we (all of us) need to go!*
Kia mutu te parakuihi, kotahi atu ki te waku niho	*When you finish your breakfast, go directly to brush your teeth*
Kia kaha koe, māu anō koe e kuhu i tēnei ata, nē?	*Give it heaps, you get yourself ready this morning, ok?*

Action phrase (Future tense = *Ka/Ki te . . . ka . . .*)

Ka tīmata te hopuni a te kura āpōpō	*School camp starts tomorrow*
Ka mahi tahi tāua i ō mahi kāinga a te pō nei	*We (you and I) will work together on your homework tonight*
Ki te ua, ka haere mā runga waka ki te kura	*If it rains, we will go to school in the car*
Ki te whiti te rā, ka haere mā raro ki te kura	*If it's fine, we will walk to school*
Ka uwhiuwhi koe i te ata nei?	*Are you going to have a shower this morning?*

Ki te kī rawa tō oko kāngarere i te miraka, ka maringi ki te papa	*If your bowl of cornflakes is too full of milk, it will spill on the floor*
Ka hoko kai i te rā nei	*We will buy lunch today*

Action phrase (Present tense = *Kei te . . .*)

Kei te kuhu kākahu matatengi koe?	*Are you putting on warm clothes?*
Kei te mahana koe?	*Are you warm?*
Kei te whakaae te kura ki ēnā kākahu?	*Are you allowed to wear those clothes to school?*
Kei te hari koe i ō pukapuka ki te kura?	*Are you taking your books to school?*
Kei te kapa haka koutou i te rā nei?	*Are you (3 or more) doing Māori performing arts today?*
Kei te tōmuri haere tāua	*We are starting to run late*
Kei te waku niho koe?	*Are you brushing your teeth?*
Kei te kai tonu au	*I am still eating*
Kei te tiki tāua i a Mereana?	*Are we (you and I) picking up Mereana?*
Kei te kōaro tō tīhate, me hurirua kia tika anō ai	*Your shirt is inside out, turn it around the right way*
Kei te hē tō tarau, kei mua a muri	*Your pants are on wrong, they are back to front*

Action phrase (Have/Has = *Kua*)

Kua oho koe?	*Are you awake yet?*
Kua maranga i tō moenga?	*Are you out of bed yet?*
Kua horoi koe i tō kanohi?	*Have you washed your face?*
Kua panoni koe i ō kākaku?	*Have you changed your clothes?*
Kua kuhu koe i ō kahu kura/ kākahu mō te kura?	*Have you put on your uniform/clothes for school?*
Kua parakuihi koe?	*Have you had your breakfast?*

Kua āka/waku niho koe?	*Have you brushed your teeth?*
Kua heru koe i ō makawe?	*Have you brushed your hair?*
Kua here/whiriwhiri i ō makawe?	*Have you tied up/plaited your hair?*
Kua tuku koe i tō pouaka kai ki tō pīkau?	*Have you put your lunchbox in your bag?*
Kua rite koe ki te haere?	*Are you ready to go?*

Action phrase (Past tense = *I*)

I pēhea tō moe?	*How did you sleep?*
I au tō moe?	*Did you have a good sleep?*
I pai ō moemoeā?	*Did you have pleasant dreams?*
I moepapa koe?	*Did you have a nightmare?*
I moe toropuku koe?	*Did you have a restless sleep?*
I horoi koe i mua i tō haere ki te moe inapō?	*Did you wash before bed last night?*
I kai aha koe mō te parakuihi i te ata nei?	*What did you have for breakfast this morning?*
I kai takakau au	*I ate a scone*

Te waku niho   *Brushing teeth*

Haere mai ki te waku niho	*Come and brush your teeth*
Anei tō taitai niho	*Here is your toothbrush*
Anei te pēniho	*Here is the toothpaste*
Pania te pēniho ki tō taitai	*Put the toothpaste on your toothbrush*
Kia iti, kaua e nui rawa	*Just a little bit, not too much*
Huakina tō waha	*Open your mouth*
Tetē	*Bare your teeth*
Me waku i ō niho katoa	*Scrub all your teeth*
Runga, raro, taha whakaroto, taha whakawaho me ngā kokonga	*Top, bottom, inside, outside and in the corners*

Inumia he wai māori	*Drink some water*
Tuhaina	*Spit it out*
Kua ea!	*All done!*

Te haere mā runga waka ki te kura

Travelling by car to school

Kuhuna/Tomokia te waka	*Get in the car*
Katia te kūaha	*Close the door*
Māku koe e whakanoho ki tō tūru	*I will put you in your seat*
Whakamaua tō tātua	*Put your seatbelt on*
Kei te pai tō noho?	*Are you comfortable?*
Āta noho	*Sit still*
Kaua e raweke i te matapihi	*Don't fidget with the window*
Kaua e raweke i te taumanu whakatū	*Don't fidget with the brake pedal*
Kaua e raweke i te taumanu whakatere	*Don't fidget with the accelerator pedal*
Waiho te nihowhiti	*Leave the gearstick alone*
Waiho te tumuringa	*Leave the handbrake alone*
Me tukatuka i te waka?	*Shall I start the car?*
He aha tērā tohu ara?	*What's that road sign?*
He tohu tū	*A stop sign*
He tohu tautuku	*A give-way sign*
He tohu maioro	*A roadworks sign*
He aha te tikanga o te rama whero?	*What does the red light mean?*
E tū!	*Stop!*
He aha te tikanga o te rama kākāriki?	*What does the green light mean?*
Haere!	*Go!*
He pai tēnei waiata, nē?	*This is a good song, isn't it?*
Me whakakaha ake i te reo o te reo irirangi!	*Let's turn the radio up!*
Me waiata tahi!	*Let's all sing together!*

41

Kua tae ki te kura!	*We have arrived at school!*
Makere atu i te waka	*Get out of the car*
Kia pai te rā!	*Have a good day!*

ĒTAHI ATU RERENGA KŌRERO WHAI TAKE
OTHER HANDY PHRASES

Kua hora tō moenga?	*Have you made your bed?*
Whakapaitia tō taiwhanga moe	*Clean up your room*
Ākaia ō niho	*Brush your teeth*
Kei whakateka mai koe!	*Don't keep doing what you are doing! (Be careful!)*
Kāore te patu e whakaaetia ana i tēnei whānau	*In this family, we don't hit each other*
Kāore te kanga e whakaaetia ana i tēnei whare	*We don't tolerate swearing in this house*
Ō ringaringa ki a koe anō, kaua ki tētahi atu!	*Keep your hands to yourself, keep them off others!*
He aha tō mahi i tēnei rā?	*What are you doing today?*
Kei te haere koe ki hea i tēnei rā?	*Where are you going today?*
Ko wai mā kei te haere?	*Who are you going with?*
Kei te pīrangi moni koe?	*Do you need money?*
Kia hia te moni hei hoatu māku ki a koe?	*How much money do I have to give you?*
Kei hea te pia makawe?	*Where is the hair gel?*
Whakamahia te rehu makawe	*Use the hair spray*
Hoatu he karahā ki tō kaiako	*Give your teacher some mouth freshener*
Me pani ō hakihaki ki te pūreke	*Let's put some ointment on your sores*
Kei a koe ō puru taiawa, e hine?	*Do you have your tampons, my girl?*
Kua pania tō kiri ki te pare tīkākā?	*Have you put sunblock on?*

Anei, he taitai niho hou māu	*Here is a new toothbrush for you*
Kua pau te pēniho	*The toothpaste has run out*
Kia pai te rā ki te kura	*Have a nice day at school*
Me tiaki tētahi i tētahi	*Look after each other*
Ka mau tō wehi!	*You are amazing!*

WHAKATAUKĪ
PROVERBS

Tā te tamariki tana mahi wāwāhi tahā

Children will make mistakes

The calabash was a valuable tool for the transportation of food and water in times of old. Children are curious and sometimes clumsy during various stage of development and are prone to making mistakes. Sometimes they will break precious things, like the calabash, but this proverb encourages us to remember it is not the fault of the child, and the mistakes they make are part of growing and learning.

Ko tōku reo tōku ohooho, ko tōku reo tōku māpihi maurea

My language is my awakening, my language is the window to my soul

A proverb from one of our mentors, Sir Tīmoti Kāretu, about language revitalisation and the importance of maintaining culture.

He kākano ahau i ruia mai i Rangiātea

I am a seed which was sown in the heavens of Rangiātea

Demonstrates the importance of knowing who you are and where you originate from. A proverb that has its genesis in the Taranaki region.

HE NGOHE-Ā-WHĀNAU
WHĀNAU ACTIVITIES TO MAKE 'BEFORE SCHOOL' A MĀORI LANGUAGE DOMAIN

 NGOHE-Ā-WHĀNAU TUATAHI
FAMILY ACTIVITY 1

On the way to school in the car is an opportune moment to use te reo Māori with the kids because they can't go anywhere! You have a captive audience! Having fun while learning, especially with kids, always works best. So try downloading this song from the following address: soundcloud.com/heireowhanau. The lyrics to the song are below. It has been specially written to reinforce key phrases that are used regularly each morning. Play the song in the car, get the kids to sing along, but most importantly, use the lines in the song during your conversations to the children. You will find that it won't take long for those lines and phrases to become a normal part of your family's morning routines.

Mōrena, mōrena!

Kei te pēhea koe?	*How are you?*
Kei te whiti, kei te whiti mai te rā	*Shining, the sun is shining*
Me maranga me te horoi kanohi	*You should get up and wash your face*
Me te waku niho, me te here makawe	*And brush your teeth, and tie your hair*
Kei te whiti, kei te whiti mai te rā	*Shining, the sun is shining*
Me mau kākahu koe	*You should put clothes on*
Me mau hū rawe koe	*You should put on some cool shoes*

Kua rite mō te puta, kua rite   *All ready to head out, ready*
mō te rā!   *for the day!*

....

▶ **NGOHE-Ā-WHĀNAU TUARUA**
  FAMILY ACTIVITY 2

....

Activities to encourage language development at breakfast time.

Whānautanga ki te 2 ngā tau (*from birth to 2 years old*)

Identify colours in the room, colours of objects, or colours of food.

He aha te tae o tēnei kai?	*What is the colour of this food?*
He aha te tae o tēnei taputapu?	*What is the colour of this object?*
He aha te tae o tēnei pātū?	*What is the colour of this wall?*
He aha te tae o tēnei tūru?	*What is the colour of this chair?*
Kōwhai	*Yellow*
Whero	*Red*
Waiporoporo	*Purple*
Māwhero	*Pink*
Mā	*White*
Kākāriki	*Green*
Pango	*Black*

Upsize the reo you use with pēpi from one word to three or four.

Kei hea a Māmā? Anei a Māmā. E aroha ana a Māmā ki a koe!
Where is Mummy? Here is Mummy. Mummy loves you very much!

On the way to school in the car is an opportune moment to use te reo Māori with the kids because they can't go anywhere! You have a captive audience!

Kei hea a pēpi Maiana? Anā a pēpi Maiana. Kei te kai a pēpi Maiana.
Where is baby Maiana? There is baby Maiana. Baby Maiana is eating.

E 2 ngā tau–4 ngā tau (*2–4 years old*)

Place familiar objects in a container and get kids to pull them out, one at a time, and tell you what it is and what they use it for.

Ko taku pōro tēnei. Ka tākaro au ki tēnei pōro. He pōro pai.
This is my ball. I play with it. It's a cool ball.

Ko taku Tāne-pekapeka tēnei. Ka patu ia i ngā nanakia.
This is my Batman. He defeats villains.

Identify body parts then ask the kids what they are used for.

He aha tēnei? (Ka tohu koe ki tō ihu)	*What is this? (Pointing to your nose)*
He ihu.	*A nose.*
Hei aha te ihu/Mō te aha te ihu?	*What is your nose for?*
Hei hongi putiputi/Mō te hongi putiputi.	*For smelling flowers.*
He aha tēnei? (Ka tohu koe ki tō waewae)	*What is this? (Pointing to your leg)*
He waewae.	*A leg.*
Hei aha te waewae/Mō te aha te waewae?	*What is your leg for?*
Hei oma/Mō te oma.	*For running.*

E 4 ngā tau–6 ngā tau (*4–6 years old*)

Begin to talk about spatial relationships. Individual words can be used here then start to upsize like we did previously when they were babies. Hand actions are a great way to explain these words and ingrain them into the developing vocabulary list of our kids.

Tuatahi	*First*
Tuarua	*Second*
Whakamutunga	*Last*
Waenganui	*Middle*
Mua	*Front*
Muri	*Back*
Mauī	*Left*
Matau/Katau	*Right*
Runga	*Above*
Raro	*Below*
Roto	*Inside*
Waho	*Outside*
Kā	*On*
Weto	*Off*
Rere	*Running (tap, etc.)*
Kati	*Off (tap)*

Kei runga ā koutou tina i te tūpapa.
Your lunches are on the bench.

Kei raro i te tūru katau o te waka tō pikau.
Your (school) bag is in the car, under the right-hand-side seat.

Kei waho ngā tamariki e tatari ana.
The kids are waiting outside.

Kei roto tonu koe i te wharepaku?
Are you still in the toilet?

Whakawetoa te pouaka whakaata, kei muri mātou it e whare e piki ana i te waka.
Turn off the TV, we (us, but not you) are behind the house (out the back) getting into the car.

Encourage the children to name everything they use during morning time and while eating breakfast. They can eventually graduate to self-narration, which is a great learning tool for you too if you are a beginner with te reo yourself.

Kei te tiki au i te miraka	*I am getting the milk*
Kei te tiki au i ngā puarere	*I am getting the rice bubbles*
Kei te riringi au i te miraka ki taku oko puarere	*I am pouring the milk into my bowl of rice bubbles*
Mmmmm, he reka!	*Mmmmm, yummy!*
Kua pau taku kai	*I have finished my food*
Kei te tuku i aku utauta kai ki te puoto	*I am putting my dishes in the sink*
Kei te haere au ki te waku niho	*I am going to brush my teeth*

2. HEI MURI I TE KURA
AFTER SCHOOL

KŌRERO WHAKATAKI
INTRODUCTION

Using te reo Māori after school can be a little more complicated than using it in the morning simply because of the range of after-school activities our kids may be involved with – from sports to music, to homework, to martial arts. Despite this, there will still be common phrases and words that you will use on a daily basis.

KUPU WHAI TAKE
HANDY WORDS

Paramanawa	*Snack*
Paru	*Dirty*
Haunga	*Smelly*
Ngenge	*Tired*
Pukukino	*Grumpy*
Hiakai	*Hungry*
Hītako	*Yawn*
Hītakotako	*Yawning continuously*
Eke hōiho	*Horse riding*
Eke ngaru	*Surfing*
Whutupōro	*Rugby*
Rīki	*League*
Mekemeke	*Boxing*

Takaporepore	*Gymnastics*
Poitarawhiti	*Netball*
Poitūkohu	*Basketball*
Poiuka	*Softball*
Poiwhana	*Football/Soccer*
Haupoi	*Hockey*
Kauhoe	*Swimming*
Piana	*Piano*
Kitā/Rakuraku	*Guitar*
Kanikani	*Dancing*
Kani hītengi	*Ballet*
Kani tārutu	*Hip hop dancing*

RERENGA WHAI TAKE
HANDY PHRASES

Description (*He*); What would you like? (*He aha māu?*)

He rā pai tēnei mō te haratau rīki, nē?	*This is a good day for league practice, eh?*
He paramanawa māu?	*Would you like a snack?*
He kākahu mātotoru tēnei kia kore ai e tīhaea	*This is a thick jersey so it won't get ripped*
He tino mātau tō kaiako takaporepore, nē?	*Your gymnastics teacher is very knowledgeable, eh?*
He ringa mākohakoha ōu mō te whakatangi piana	*You have expert hands for playing the piano*
He pakari ngā pūkenga o tō kapa poiwhana	*Your soccer team is awesomely talented*
He tino kaingākau nōu ki te poiuka, nē?	*You really love softball, don't you?*
He uaua rawa ō mahi kāinga?	*Is your homework too difficult?*
He pai koe ki te pānui pukapuka, e tama	*You're good at reading, my son*
He ātaahua te whakaaro o tēnei tuhinga āu	*The thought behind this piece of your writing is beautiful*

Location (*Kei hea/I hea?*)

Kei hea ō pūtu whutupōro?	*Where are your rugby boots?*
Kei hea ō tōkena rīki?	*Where are your league socks?*
Kei hea ō komo mekemeke?	*Where are your boxing gloves?*
Kei roto tō rākau haupoi i te whata	*Your hockey stick is in the wardrobe*
Kei runga ō pukapuka kitā i tō moenga	*Your guitar books are on your bed*
I hea a Hēmi i te rā nei?	*Where was Hēmi today?*
Kāore ia i tākaro	*He didn't play*
Kei runga tō whakapuru waha i ngā hautō	*Your mouthguard is on top of the drawers*
I hea koe? Kua tīmata kē te kēmu!	*Where were you? The game has started!*

Command (Should = *Me*)

Me haratau piana koe	*You should practise your piano playing*
Me tango koe i tō mahi kāinga i tō pīkau	*Take your homework out of your bag*
Me tīmata ki ngā mahi pāngarau	*Start with maths*
Me whakaoti koe i ō mahi kāinga i mua i te tākaro	*Finish your homework before you go to play*
Me aro ki te pānui, hei aha ngā hangarau	*Concentrate on reading, never mind your electronic devices*
Me tuku koe i ō kākahu paru o te rā nei ki te pūtē	*Put your dirty clothes from today into the clothes basket*
Me āta horoi koe kia kore ai koe e haere haunga atu ki te moe	*Wash yourself carefully, so you don't go to bed all smelly*

Me āta horoi koe a runga, a raro, me ngā wāhanga katoa ōu, kia mā rawa atu ai	*Make sure you wash everywhere so you're clean from head to toe*
Me whakatika koe mō te kai o te pō	*Get ready for dinner*
Me wawe te haere ki te moe, kei te ngenge koe	*Go to bed early, you are tired*
Me moe ki tō ake moenga mō te katoa o te pō, nē?	*Sleep in your own bed for the whole night, ok?*
Me whakaweto ngā rama a te tekau meneti	*Lights out in 10 minutes*

Command (Don't = *Kaua/Kāti*)

Kaua e arokore ki ngā tohutohu	*Don't ignore the instructions*
Kaua e pānui i te katau ki te mauī, engari i te mauī ki te katau	*Don't read from right to left, but from left to right*
Kaua e pōhēhē ka māmā noa iho	*Don't mistakenly think it will be easy*
Kaua e paopao rawa ngā oro o te piana	*Don't tap the piano keys too hard*
Kaua e māharahara, he uaua te pūtaiao!	*Don't worry, science is hard!*

Command (Do = *Kia/E*)

Kia mutu tō mahi kāinga, ka wātea koe ki te tākaro hangarau	*When you finish your homework, you can play on your electronic devices*
Kia kaha te haratau, mā reira ka tohunga	*You need to practise hard, that's how you become an expert*
Kia tūpato, he mania te niao o te puna kaukau	*Be careful, the edge of the bath is slippery*

Kia tere te horoi, kia mātakitaki pouaka whakaata tāua	*Hurry up and wash so we can watch TV*
Kia tau, ehara i te mutunga o te ao!	*Settle down, it's not the end of the world!*
Kia mutu te kai o te pō, ka pānui pukapuka tāua	*When you finish your dinner, we (you and I) will read a book*
Kia tūpato koe, kei mūhore koe i tēnei whakamātautau	*Be careful or you may fail this test/exam*

Action phrase (Future tense = *Ka/Ki te . . . ka . . .*)

Ka haere koe ki te moe ākuanei	*You will be going to bed soon*
Ka whakaoti tāua i tō mahi kāinga a te pō nei	*We (you and I) will complete your homework tonight*
Ki te ua āpōpō, ka kore te rā hākinakina e tū	*If it rains tomorrow, the sports day will be cancelled*
Ki te kore koe e aro mai, ka taumaha te whiu	*If you don't pay attention, the punishment will be severe*
Ka kaukau koe a te pō nei?	*Are you going to have a bath tonight?*
Ki te kore koe e horoi, ka haunga kē atu tō tinana!	*If you don't have a wash, your body will stink even more!*

Action phrase (Present tense = *Kei te . . .*)

Kei te haere au ki te whakakī i te puna kaukau ki te wai	*I am going to fill the bath with water*
Kei te mahana te wai?	*Is the water warm?*
Kei te horoi koe i tō tinana ki te uku?	*Are you using the soap to wash your body?*
Kei te tuku au i te wai mirumiru ki roto	*I am putting in the bubble bath*

Kei te whakapiako koe i te puna kaukau?	*Are you emptying out the bath?*
Kei te tuku koe i te wai kia rere atu?	*Are you letting the water out?*
Kei te tango au i te puru	*I am pulling out the plug*

Action phrase (Have/Has = *Kua*)

Kua reri te wai	*The water is ready*
Kua mahana te wai	*The water is warm*
Kua kite koe i te wai pāhukahuka?	*Have you seen the shampoo?*
Kua puta koe i te uwhiuwhi?	*Are you out of the shower yet?*
Kua whakarite koe i ō kākahu mō āpōpō?	*Have you organised your clothes for tomorrow?*

Action phrase (Past tense = *I*)

I whakahoki koe i te uku ki tōna pae?	*Did you put the soap back in its dish?*
I whakairi koe i tō tauera ki te pouheni?	*Did you hang your towel back up on the rack?*
I horoi koe i raro i ō kēkē?	*Did you wash under your arms?*
I tunu kai koe māu?	*Did you make your own dinner?*
I whakaweto koe i te umu?	*Did you turn off the oven?*
I muku koe i te tūpapa?	*Did you wipe down the bench?*

Te wā kaukau · *Bath/Shower time*

Tangohia ō kākahu	*Take off your clothes*
Kuhuna te puna kaukau	*Get into the bath*
Māku koe e āwhina	*I will help you*
He pēhea te wai?	*How is the water?*
He wera rawa?	*Is it too hot?*

He makariri rawa?	*Is it too cold?*
He pai?	*Is it just right?*
Horoia tō māhunga	*Wash your head*
Horoia ō makawe	*Wash your hair*
Māku ō makawe e horoi?	*Shall I wash your hair?*
Kei hea te uku?	*Where is the soap?*
Kei hea te wai pāhukahuka?	*Where is the shampoo?*
He wai pāhukahuka patu kutu tēnei	*This is special shampoo to kill lice*
Katia ō karu	*Close your eyes*
Ka horoi koe i tō tinana?	*Are you going to wash your body?*
Kaua e pūhoru, kei mākū te papa	*Don't jump/splash around, in case you wet the floor*
Kua mā katoa koe ināianei	*You're all clean now*
Me tūnahi i a koe ki te tauera	*Let's wrap you up in a towel*
Me whakamaroke tāua i tō tinana	*Let's (you and I) dry your body*
Homai tō waewae	*Give me your leg*
Homai tō ringaringa	*Give me your arm*
Kātahi te tamaiti pai ko koe!	*You are such a good child!*

Te wā moe — *Bedtime*

Whakamaua ō kahu moe	*Put you pyjamas on*
Me āka niho koe	*Brush your teeth*
Kuhuna te moenga	*Get into bed*
Kei te mahana koe?	*Are you warm?*
Me pānui pukapuka tāua!	*Let's (you and I) read a book!*
Kia au tō moe	*Have a peaceful sleep*
E moe	*Go to sleep*
Tō pīwari hoki!	*You are so cute!*
Kāti te hōkari paraikete	*Stop kicking your blankets off*
Turituri tō waha	*Be quiet*
Homai he kihi	*Give me a kiss*
Homai he awhi	*Give me a cuddle*

Kei te tāia koe e te moe	*You are very sleepy*
Kei te hītako koe	*You are yawning*
Katia ō karu	*Close your eyes*
Pō mārie	*Good night*
Tino nui taku aroha ki a koe	*I love you very much*

ĒTAHI ATU RERENGA KŌRERO WHAI TAKE
OTHER HANDY PHRASES

Haere ki te heketua	*Go to the toilet*
Tukua te wai heketua	*Flush the toilet*
Whakamahia te tīere	*Use the air freshener*
Kua pau te puka heketua	*The toilet paper has run out*
Horoia ō ringaringa	*Wash your hands*
Whakamaroketia ō ringaringa	*Dry your hands*
Opeopea te wai i te papa	*Mop up the water on the floor*
Whakatārawatia tō tauera	*Hang up your towel*
Whakakāngia te momihau kia kore ai e kōrehu te whakaata	*Turn on the extractor fan so that the mirror doesn't get fogged up*
Kei a koe te wai pāhukahuka?	*Have you got the shampoo?*
Kua tata tōmiti te uku	*The soap has just about dissolved*
Me pani tō kiri ki te monoku	*Let's rub moisturiser on your skin*
Whakamahia tēnei mō ō tatarakina	*Use this for your split ends*
Ko tēnei rauangi kia hinga ai ngā kōtiro i a koe	*This aftershave is so that the girls can't resist you*
Tō kakara hoki!	*You smell so good!*
He aha tā te pouaka whakaata a te pō nei?	*What's on TV tonight?*
Ko *Te Karere*	Te Karere
He hōtaka pai a *Te Karere*, nē rā?	Te Karere *is a choice programme, eh?*
Āe mārika!	*Yes indeed!*

He aha kē atu?	*What else?*
Ko te Kāhui Avengers	*The Avengers*
Āhea?	*When?*
Ā te waenganui pō	*Midnight*
Tōmuri rawa tērā!	*That's on too late!*
Haria tō pūtē ki te taiwhanga horoi	*Take your clothes basket to the laundry*
Whiua ō kākahu paru ki te pūrere horoi	*Put your dirty clothes in the washing machine*
Tītaritaritia atu he nehu horoi kākahu	*Sprinkle in some washing powder*
E pūriko ana tō hāte	*Your shirt is stained*
Kia roa tonu te tōpunitanga	*Give it a good soak (in water)*
Me tōpuni kia mā anō ai	*Soak it to make it clean again*
Horoia ki te wai makariri	*Use cold water*
Tukua ngā kākahu ki te whakamaroke	*Put the clothes in the dryer*
Whakairia ki waho kia maroke i te rā me te hau	*Hang them up outside to dry in the sun and the wind*
Kei te haeana a Hēmi i ōna kākahu	*Hēmi is ironing his clothes*
Whātuia ngā kākahu	*Fold the clothes*
Kua tīhaea ō tarau poto	*Your shorts are ripped*
Kei paru ō kākahu!	*Don't get your clothes dirty!*
Kei mākū ō kākahu!	*Don't get your clothes wet!*

WHAKATAUKĪ
PROVERBS

Kua takoto te mānuka

The leaves of the mānuka tree have been laid down

This proverb is used to encourage you to accept a challenge, or to take on a challenge that lies ahead of you and see it through to its completion.

Whāia te iti kahurangi, ki te tuohu koe me he maunga teitei

Seek out your heart's desire, though if you have to relent, let it be to a lofty mountain

This whakataukī is about aiming high and being persistent and tenacious about reaching your goal. It is commonly used to stress the importance of education.

He iti te mokoroa ka kakati i te kahikatea

The mokoroa (grub) may be small, but it cuts through the kahikatea (white pine)

Even though the task may be huge, it is not impossible, it can be done!

HE NGOHE-Ā-WHĀNAU
WHĀNAU ACTIVITIES TO MAKE 'AFTER SCHOOL' A MĀORI LANGUAGE DOMAIN

NGOHE-Ā-WHĀNAU TUATAHI
FAMILY ACTIVITY 1

Te horoi makawe – Washing hair

Bath time is a good time to teach young ones to wash their hair with shampoo with these five simple instructions. Keep repeating it every night when they are having a bath. Even when they are getting a bit older, it's still good language to learn and know.

1. Me whakamākū ō makawe — *Wet your hair*
2. Katia ō karu, kei uru te wai pāhukahuka ki roto — *Close your eyes so the shampoo doesn't get in*
3. Mirimiria atu he wai pāhukahuka ki ō makawe kia hukahuka ai — *Massage the shampoo into your hair, until it foams up*

4. Me kati tonu ō karu kia oti rā anō te wai pāhukahuka te horoi atu	*Keep your eyes closed as you rinse out the shampoo*
5. Anā, kua pai te huaki anō i ō karu	*Ok, you can open your eyes now*

··

 ### NGOHE-Ā-WHĀNAU TUARUA
FAMILY ACTIVITY 2

··

Te Hī Pūreta – Fishing for Letters

You can buy magnet letters from most $2 shops. Remove irrelevant letters like q, v, x etc. Tie a magnet to the end of a stick and go fishing for letters in the bath. Talk about letters they catch, and see if you can make some words out of those letters.

Tukua tō aho ki te wai	*Put your line in the water*
Kua hī koe i tēhea pūreta?	*Which letter have you caught?*
Ka taea te hanga kupu ki ēnei reta?	*Can we make a word out of these letters?*
He aha tēnei kupu?	*What's this word?*
He aha te kupu Pākehā mō tēnei kupu?	*What's the English equivalent?*

··

 ### NGOHE-Ā-WHĀNAU TUATORU
FAMILY ACTIVITY 3

··

Hōmiromiro – I Spy

Yes, you can play this well-known game in the bath. Place various items around the bathroom (that you have already researched the Māori words for). Make sure they are visible from the puna kaukau or bathtub. For tikanga reasons, don't use any food! Now, turn out the lights, give your child a submersible flashlight and have him or her 'spy' the various items with the flashlight.

He aha tāu e kite nā ki te aho
   o tō rama?
He aha tērā?
He aha te mahi a tērā mea?
E rua tonu ngā mea e toe
   ana hei kimi māu

What can you see in the
beam of your flashlight?
What's that (over there)?
What does that thing do?
There are still two things for
you to find

3. TE WHANONGA
BEHAVIOUR

KŌRERO WHAKATAKI
INTRODUCTION

We all determine our own rules and strategies to develop good behaviour amongst our children. We believe te reo Māori offers a built-in mechanism for guiding behaviour. An example of this is the *a* and *o* categories. We won't dive too deep into the detail, but this particular aspect of the language determines relationships, signifies respect given and earned, and determines behaviour expected in particular contexts, from sitting at the table during meal times to being in public arenas.

KUPU WHAI TAKE
HANDY WORDS

Ngākau māhaki	*Mild-mannered*
Pakirara	*Rude*
Whakaparanga	*Snobby*
Marae	*Generous/Hospitable*
Tūpore	*Kind*
Whakawhetai	*Give thanks*
Whakarongo	*Listen*
Whanonga	*Behaviour*
Whakapāha	*Apologise*
Mihi	*To acknowledge/Pay tribute*
Whēkaro	*Look at in a kindly manner*
Hūmārie	*Nice/Affable/Gentle*

We believe te reo Māori offers a built-in mechanism for guiding behaviour

Koa	*Please (contemporary meaning)*
Kia ora	*Thank you*
Tēnā koe	*Thank you (to one person)*
Manawareka	*Pleased*
Tohatoha	*Share*
Mātāpono	*Principles*
Muremure	*Obtain by unfair means*
Uara	*Values*
Tikanga	*Values/Protocols*
Amuamu	*Moaning/Whingeing*
Keka	*Tantrum*
Kūnāwheke	*Nag*
Whakapōrearea	*Bother/Annoy*
Whakatīwheta	*Harass*
Whakamauru	*Soothe/Appease*
Whakaahuru	*Look after*
Whakangākau	*Show affection to*
Kaniawhea	*Guilt/Remorse*
Pukuaroha	*Sympathy*
Mōrihariha	*Offensive*
Āhua kirikiri	*Something that does not meet approval*
Matareka	*Like*
Matakawa	*Dislike*
Matangurunguru	*Disappointed*
Waia	*Accustomed to*
Ringa poto	*Miserly*
Hākere	*Stingy*
Kaiponu	*Selfish*
Matapiko	*Mean*
Aroha mai	*Excuse me/Sorry*
Mō taku hē	*Apologies*
Kia māhaki mai	*Forgive me*
E pai ana kia . . .	*Is it ok if . . .*

Harirū	*Shake hands*
Hongi	*Press noses*
Horahia te kura	*Make peace*

RERENGA WHAI TAKE
HANDY PHRASES
Belonging to (*Ko/Nā/Nō*); For whom? (*Mā wai?*)

Ko te tuahangata tērā a Hēmi	*That (over there) superhero (action figure) is Hēmi's*
Nāku tēnei pukapuka i hoko māu, Katarina	*I bought this book for you, Katarina*
Tēnā koe, Nan!	*Thanks, Nan!*
Nā Pāpā Rātō tēnei perehana ki a koe, e tama	*This present is from Uncle Rātō to you, my boy*
Mā wai tēnei koha Kirihimete?	*Who is this Christmas present for?*
Nāu katoa ēnā taputapu tākaro?	*Are all those toys yours?*

Description (*He*)

He tamariki whakaparanga āna, kāore i mihi	*He/She has snobby kids, they don't say hello*
He tangata marae tō pāpā	*Your father is very hospitable*
He kōtiro tūpore koe, nē?	*You're a very kind girl, aren't you?*
He pakirara tēnā mahi	*What you are doing is rude*
He tamaiti ngākau māhaki ia	*He/She is a mild-mannered child*
He tūkino tērā mahi	*What you are doing is destructive*
He wetiweti tēnā mahi	*What you are doing is upsetting/offensive*
He kino te patu i tētahi atu/ i tō teina	*Hitting someone else/your younger sibling is not ok*

Location (*Kei hea/I hea?*)

Kei hea ō uara kai? Kei tua o tāwauwau?	*Where are your (values for eating) manners? Disappeared into oblivion?*
Kei hea tō mihi whakawhetai?	*Where is your 'thank you'?*
Kei hea ō tikanga tohatoha?	*Where are your sharing values?*
I hea kē ō whakaaro e rere ana?	*What on earth were you thinking?*
I hea ō kupu mihi mō te kai i horahia?	*Where were your words of thanks for the food laid before you?*
Kei tana rūma ia e keka ana	*He/She is in his/her room having a tantrum*
Kei waho ia e whakapōrearea ana i a Māka	*He/She is outside pestering Māka*

Command (Should = *Me*)

Me mihi koe ki tō kuia mō tēnā perehana	*Thank your grandmother for that present*
Me tohatoha koe	*Make sure you share*
Me whakapāha koe	*You should say sorry*
Me titiro koe ki te tangata e kōrero ana ki a koe	*Look at the person talking to you*
Me whakaahuru koe i a ia, kei te tangi ia	*Go and look after him, he is crying*
Me harirū	*Shake hands (contemporary)*
Me hongi	*Press noses*
Me mutu ēnā momo kōrero, kāore i te pai	*Stop saying things like that, it's not good*

Command (Don't = *Kaua/Kāti*)

Kāti te amuamu	*Stop moaning/whingeing*
Kāti te keka	*Stop having a tantrum*
Kāti te kūnāwheke	*Stop nagging*

Kāti te whakapōrearea i tō tuahine	*Stop annoying your sister (of male)*
Kāti te whakatīwheta mai	*Stop harassing me*
Kāti te whakahoki kōrero	*Stop answering back*
Kaua e takahi i tana manaakitanga	*Don't transgress his/her generosity*
Kaua e whakaparanga	*Don't be a snob*
Kaua e kaiponu	*Don't be selfish*
Kāti te matapiko	*Stop being mean*
Kaua e pakirara	*Don't be rude*
Kaua e unu taniwha!	*Don't stir things up (don't tempt the monster out of its lair)!*
Kaua māu tēnā momo kōrero	*You shouldn't be saying things like that*
Kaua e kōrero pēnā ki a au	*Don't talk in that manner to me*
Kāti te whakarongo kōrero	*Stop eavesdropping*
Kāti te tohutohu i a au	*Stop telling me what to do*

Command (Do = *Kia/E*)

Kia kaha te mihi	*Be forthcoming with your words of thanks*
Kia takatū koe ki te mihi	*Be ready to say thank you (always say thank you)*
Kia maumahara ki ō tātou uara	*Remember our values*
Kia maumahara ki ō tikanga whakawhetai	*Remember your manners*
Kia tika tō whanonga	*Fix your behaviour*
Kia mārire tō reo	*Use your quiet voice*
Kia tika koe	*Do the right thing/behave properly*
Kia tika te tangi o tō reo	*Speak properly/Get that tone out of your voice*

Action phrase (Future tense = *Ka/Ki te . . . ka . . .*)

Ki te tika tō whanonga, ka haere tātou	*If you behave properly, we (all of us) will go*
Ki te keka tonu koe, ka mamae tō māhunga!	*If you keep having a tantrum, you'll give yourself a headache!*
Ki te ngākau māhaki koe, ka tākaro ia ki a koe	*If you just chill out, he/she will play with you*
Ka kūnāwheke ia kia whiwhi rā anō ia	*He/She will keep on nagging until he/she gets what they want*
Ki te whakamahi koe i ō uara whakawhetai, ka tino harikoa au	*If you use your manners, I will be extremely happy*
Ki te whakangākau koe, ka whakangākau ia	*If you show affection to him/ her, he/she will do the same to you*
Ka pēnā tō kōrero ki ō kaiako?	*Would you talk in that way to your teachers?*
Ka pōuri au ki te pēnā tonu tō mahi	*I will get upset if you keep doing that*
Ka pēhea mēnā i pērā tētahi ki a koe?	*How would you feel if someone did that to you?*

Action phrase (Present tense = *Kei te . . .*)

Kei te tino manawareka au ki tō whanonga	*I am very pleased with your behaviour*
Kei te tohatoha koe i ō tāre?	*Are you sharing your dolls?*
Kei te tiaki koe i tō hoa?	*Are you looking after your friend?*
Kei te whakarongo mai koe?	*Are you listening (to me)?*
Kei te āwhina koe i tō teina?	*Are you helping your younger brother (of male)/sister (of female)?*

Kei te āhua kirikiri tēnā mahi	*What you are doing is not what is expected*
Kei te rongo koe i te kaniawhea mō tāu i mahi ai?	*Are you feeling guilty about what you did?*

Action phrase (Have/Has = *Kua*)

Kua tahia te tahua?	*Have you settled it? (Brought peace to the situation)*
Kua mihi koe?	*Have you said thank you?*
Kua pātai koe kia wehe koe i te tēpu?	*Have you asked to be excused from the table?*
Kua oti i a koe ō mahi-ā-whare?	*Have you completed all your chores?*
Kua whakapai koe i tō rūma?	*Have you tidied your room?*
Kua hora tō moenga?	*Have you made your bed?*
Kua mārama ia nā te aha au i matangurunguru ai	*He realises why I was disappointed*
Kua waia ia ināianei	*He/She is used to it now*

Action phrase (Past tense = *I*)

I muremure koe i ngā taputapu tākaro a Hēnare?	*Did you take Hēnare's toys? (Not theft)*
I tāhae koe i tana motukā?	*Did you steal his/her car?*
I wareware koe ki te mihi atu?	*Did you forget to say thank you?*
I āwhina au i a rātou ki te horoi utauta	*I helped them (3 or more) to do the dishes*
I whakawhetai au mōna i tunu kai māku	*I gave thanks to him/her for preparing my food*
I whakarongo koutou ki ngā tohutohu?	*Did you (3 or more) listen to the instructions?*

I kite au i a koe e āwhina ana i tō teina ki te tiki inu, ka pai tō tūporetanga!	*I noticed you helping your younger sister (of female) /brother (of male) to get a drink, that was kind of you!*

ĒTAHI ATU RERENGA WHAI TAKE
OTHER HANDY PHRASES

He kōrero aroha ki ngā tamariki	***How to tell your kids you love them***
Kōrengarenga ana te puna aroha ki a koe, e kō	*My love for you is endless, my girl*
Ka nui taku aroha ki a koe, e tama	*I love you so much, my boy*
E mutunga kore ana taku aroha ki a koe	*My love for you is endless*
Ko taku aroha ki a koe he teitei ake i te rangi, he hōhonu ake i te moana, he whānui ake i te ao tukupū	*My love for you stretches higher than the heavens, deeper than the ocean, wider than the universe*
Taku kuru pounamu	*My precious one*
E te tau	*My darling one*
He mihi i te tamaiti mō te āwhina i a koe	***Thanking kids for helping***
Tēnā koe mōu i tahitahi i te mahau	*Thank you for sweeping the deck*
Ka pai tō āwhina i a au ki te whakapiako i te pūrere horoi utauta	*It was awesome that you helped me unload the dishwasher*
Ka pai to āwhina mai ki te hoatu wai ki ngā tipu	*That was awesome how you helped to water the plants*
Kia ora mō tō horopuehu i te papa, e tama	*Thank you for doing the vacuuming, my boy*

Tēnā koe mōu i whātui i ō kākahu	*Thank you for folding your clothes*
Ka rawe tō whakapai i tō taiwhanga moe	*That was fantastic you cleaned your room*
Koia kei a koe!	*You're awesome!*
Kei hea kē mai koe!	*You're fantastic!*

E pai ana kia . . .?	***Can I have or do something?***
E pai ana kia wehe au i te tēpu?	*Can I be excused from the table?*
E pai ana kia whai aihikirīmi au?	*Can I have some ice cream?*
E pai ana kia haere au ki te whare o Manawanui?	*Is it ok if I go to Manawanui's house?*
E pai ana kia kaua au e kauhoe a te pō nei?	*Is it ok if I don't go to swimming tonight?*
E pai ana kia haere tātou ki Makitānara?	*Can we (all of us) go to McDonald's?*
E pai ana kia hoko kurī?	*Is it ok if (we) buy a dog?*

WHAKATAUKĪ
PROVERBS

He hākuwai te manu e karanga tonu ana i tōna ingoa
The hākuwai is the bird that calls its own name
A comment about a person who is always boasting of his achievements.

Tangata ākona ki te kāinga, tūngia ki te marae, tau ana
If a man is taught at his home, he will stand with confidence in the public arena, conducting himself properly, confidently and competently

E patu te rau, e patu te arero
The tongue (slander or gossip) can injure many
A proverb that reminds us to think about what we say. Māori have an opposite view to the 'sticks and stones' proverb. We say 'he tao rākau e taea te karo, he tao kī, titia te manawa' which means 'harsh weapons can be deflected, but harsh words sting the heart'.

HE NGOHE-Ā-WHĀNAU
WHĀNAU ACTIVITIES TO REINFORCE LANGUAGE AROUND BEHAVIOUR

 NGOHE-Ā-WHĀNAU TUATAHI
FAMILY ACTIVITY 1

Collect some pictures or even take photos of the kids or yourself showing a range of emotions and looks, for example, sad faces, happy faces, angry faces, confused faces, etc. Sit down together, hold up a picture and ask them, 'Kei te pēhea tēnei tangata?' (*How is this person?*). Ask the children to talk about what they see. You can provide them with words initially: harikoa (*happy*), pōuri (*sad*), riri (*angry*), whakamoroki/whakakuene (*sulking*), menemene (*smiling*), mataku (*scared*), etc.

An extension of this activity is to stack at least three pictures of each emotion on a table or on the floor, then mix up the order of the pictures. Hand the stack to your child and ask them, 'Whakarōpūhia ngā whakaahua mō te pōuri' (*Group all the pictures/photos for sadness*). Then ask them to group all the happy pictures, all the angry pictures, and so on.

▶ **NGOHE-Ā-WHĀNAU TUARUA**
FAMILY ACTIVITY 2

Ngā Kōrero-ā-waea – Phone Manners Game

Have the children practise using the phone and how to ask for their friend.

Kia ora/Tēnā koe	*Hello*
Ko (ingoa) tēnei	*This is (name)*
E pai ana kia kōrero au ki a (ingoa)?	*Can I please speak to (name)?*
Kei konā a (ingoa), tēnā koa?	*Is (name) there, please?*

Mahi Whakaari – Manners Role Play

Role play sitting down for a meal, using the language from the meal time section of this book. This is something the whole whānau can do.

Tēnā koa, homai te . . .	*Can you please pass me the . . .*
He (ingoa o te kai) māu?	*Do you want some (name of food item)?*
He pēnei māu?	*Do you want some of this?*

Now have them pretend their friend is leaving after a visit:

Kia ora i tō haere mai	*Thanks for coming*
Kia ora i tō pōwhiri mai	*Thanks for having me*
Kia ora i tō manaaki mai	*Thanks for looking after me*

▶ **NGOHE-Ā-WHĀNAU TUATORU**
FAMILY ACTIVITY 3

Finally, singing little ditties and songs is always fun and a great way to remember words and reinforce whānau values.

Mihi – Thank you! (Tune: 'If you're happy and you know it')

Ki te whai perehana, me mihi (kids can yell out 'kia ora!' here for *thank you*)

Ki te whai perehana, me mihi (kia ora!)

Ki te whai perehana, me tuku mihi atu

Ki te whai perehana, me mihi (kia ora!)

Ngā uara – Values (Tune: 'Three blind mice')

Me harirū

Me hongi e

Ki te tangata

Ka tūtaki koe

He tikanga, he whanonga

He uara rangatira

Me mihi koe

Kia kaha rā

He uara

In conclusion, this is a little something we say to our kids whenever they are going to someone else's house for a sleepover, birthday, or visit. As they walk out the door we say, 'Kia maumahara: whakarongo (*listen*), whakawhetai (*manners*), whanonga (*behaviour* – of the good kind of course!)'

We always try to be creative with the language and make things trendy and 'catchy' so the kids will take hold of it and remember. It's at the point now that they have heard the 'whakarongo, whakawhetai, whanonga' spiel so many times, we only get to say, 'kia maumahara . . .' before they actually finish the rest themselves with that 'I know, I know' attitude!

Whakarongo,
whakawhetai,
whanonga

*Listen, manners,
good behaviour*

4. TE TUNU KAI
COOKING

KŌRERO WHAKATAKI
INTRODUCTION

Sitting down to a nice home-cooked meal can be one of the most cherished memories our kids will have when they get older. Meal preparation and meal times are the perfect chance to bond as a whānau, to find out more about each other, value each others' ideas, and teach social skills for life. Some of the funniest conversations we have ever had have been around the dinner table or in the marae kitchen – gossip, jokes, quirky stories – they all tend to flow very easily in this relaxed environment. Converting meal times into a te reo Māori domain can produce some great language learning and development, and it can be done reasonably quickly and easily. First and foremost, get into the habit of doing grace, if not for spiritual reasons, do it for reo practice reasons!

Karakia whakapai kai	Grace
Nau mai e ngā hua o Papaahurewa o Ranginui kete kai	*I welcome the gifts of food provided by the earth mother and the sky father, bearer of food baskets*
Whītiki kia ora!	*Gifts bound together to sustain all of us!*
Haumi e, hui e, tāiki e!	*United and connected as one!*

Meal times are the perfect chance to bond as a whānau, to find out more about each other, value each others' ideas, and teach social skills for life

KUPU WHAI TAKE
HANDY WORDS

Pūioio	*Tough (or hard to chew, as of meat)*
Mōkarakara	*Savoury*
Wainene	*Succulent*
Reka	*Delicious*
Mākihakiha	*Bland*
Takapapa	*Tablecloth*
Hautō	*Drawer*
Kāuta	*Kitchen*
Mārau	*Forks*
Māripi	*Knives*
Koko	*Spoons*
Pereti	*Plates*
Oko	*Bowls*
Utauta	*Dishes*
Ngaruiti	*Microwave*
Umu	*Stove*
Rāoa	*Choke*
Pakapaka	*Burnt*
Pāmahana	*Temperature*
Karakia kai	*Grace*
Hua whenua	*Vegetables*
Ika	*Fish*
Mīti	*Meat*
Tūpapa	*Bench*
Pata	*Butter*
Tote	*Salt*
Pepa	*Pepper*
Parāoa	*Bread*

RERENGA WHAI TAKE
HANDY PHRASES
Belonging to (*Ko/Nā/Nō/Mā*); Who did? (*Nā wai . . . i . . .?*); and Who will? (*Mā wai . . . e . . .?*)

Mā wai tēnei kai?	*Who is this food for?*
Mā ngā tamariki	*For the kids*
Mā Mere	*For Mere*
Nā wai te ika mata i mahi?	*Who made the raw fish?*
Nāku	*I did*
Nā Hare rāua ko Anahera	*Hare and Anahera did*
Mā wai te kai e whakapai?	*Who will bless the food?*
Māku e mahi	*I will do it*
Ko te tina tēnei a ngā tamariki	*This is the lunch for the kids*
Ko te kai o te whenua, ko te kai o te moana	*The delicacies of land and sea*

Asking What? (*He aha?*) and Description (*He*)

He aha te kai o te pō?	*What's for dinner?*
He aha te kai mō te parakuihi?	*What's for breakfast?*
He aha te tōwhiro?	*What's the pudding?*
He keke tiakareti	*Chocolate cake*
He korohehengi	*Steam pudding*
He kahu tāhungahunga	*Pavlova*
He hua rākau haemata	*Fruit salad*
He kirīmi tāwhiuwhiu	*Whipped cream*
He kōuraura hei kūmamatanga	*Shrimps for the entrée*
He rara poaka hei kai matua	*Pork ribs for the main*
He aihikirīmi hei tōwhiro	*Ice cream for dessert*
He pūioio te mīti nei	*This meat is tough*
He tino reka ngā kai!	*This food is delicious!*
He kai mākihakiha tēnei!	*This is very bland food!*

He tote rawa tēnei kai!	*This food is too salty!*
He mōkarakara, nē?	*It's very savoury, isn't it?*
He wainene ngā hua rākau nei	*These pieces of fruit are very succulent*

Location (*Kei hea/I hea?*)

Kei hea te takapapa mō te paparahua?	*Where is the tablecloth for the dining table?*
Kei roto i te hautō	*In the drawer*
Kei te kāuta a Māmā	*Mum is in the kitchen*
Kei hea ngā mārau?	*Where are the forks?*
Kei hea ngā māripi?	*Where are the knives?*
Kei hea ngā koko?	*Where are the spoons?*
Kei hea ngā pereti me ngā oko?	*Where are the plates and bowls?*
Kei hea ngā kai o inapō?	*Where are the leftovers from last night?*
Kei roto i te ngaruiti	*In the microwave*
Kei runga i te umu	*On the stove*

Command (Should = *Me*, Give/Pass = *Homai*)

Me karakia tātou	*We (all of us) should say grace*
Me haere mai koutou ki te kai	*You (3 or more) should come and eat*
Me whakapau koe i ō hua whenua	*You should eat up all your veges*
Me hari tō pereti ki te tūpapa	*You should take your plate to the bench*
Homai te pata	*Pass me the butter*
Homai te tote me te pepa	*Pass me the salt and pepper*
Homai te parāoa me te pata	*Pass the bread and butter*
Homai kia kotahi te tōtiti, kia rua ngā hēki	*(Can I have) one sausage and two eggs*

Homai kia kotahi te mīti	*(Can I have) one piece of meat*
Homai te ranu tomato	*Pass me the tomato sauce*

Command (Don't = *Kaua*/*Kāti*)

Kāti te kaihoro, kei ngau tō puku	*Stop scoffing your food, in case you get an upset stomach*
Kaua e tū te ihu ki te kai	*Stop sticking your nose up at the food*
Kaua e whakatata ki te umu, he wera	*Don't go near the oven, it's hot*
Kaua e whāwhā i te kai	*Don't touch the food*
Kāti te hongihongi i te kai	*Stop smelling the food*
Kāti te whakapīoioi tūru	*Stop swinging (back and forth) on your chair*
Kāti te peipei i tēnā kai	*Stop pushing that food aside*
Kāti te kamekame, katia tō waha i te wā o te ngau kai	*Stop making that squelching noise with your mouth, close your mouth while you chew your food*
Kaua e pā tō ringa ki tēnā	*Don't put your hand there*
Kaua e wareware ki te horoi ringa	*Don't forget to wash your hands*

Command (Do = *Kia*/*E*/Passive endings)

Kia tūpato, kei wera tō ringa!	*Be careful or you may burn your hand!*
Kia tūpato koe kei mōmona	*Watch out or you'll get fat*
Kia tūpato, ka rāoa koe!	*Be careful, you will choke!*
Kia tika te noho!	*Sit properly!*
Kia manawanui! E haere atu nei te kai	*Be patient! The food is on its way (you are taking it to someone else)*

Kia tau! E haere mai nei te kai — *Settle down! The food is on its way (someone else is bringing it to you and those with you)*

Kia āta kai — *Take your time (eat slowly)*

Tīkina he mīti poaka anō māu — *Help yourself to some more pork*

Tiakina ngā toenga — *Save the leftovers*

Tukua ngā utauta kai ki te puoto — *Put the dishes in the sink*

Horoia ngā utauta — *Wash the dishes*

Action phrase (Future tense = *Ka/Ki te . . . ka . . .*)

Ki te pau i a koe ō hua whenua, ka whai tōwhiro koe — *If you eat all your veges, you can have some dessert*

Ki te roa rawa ki te umu, ka pakapaka — *If you leave it in the oven too long, it'll burn*

Ki te kaihoro koe, ka rāoa koe — *If you scoff your food, you will choke*

Ka tunu kai a Hana a te wiki nei — *Hana will be cooking this week*

Ki te kore koe e pīrangi, waiho ki te taha — *If you don't want it, leave it to the side*

Ki te tū tō ihu ki te kai, ka pāmamae a Whaea Rāhera — *If you stick your nose up at the food, Aunty Rachael will be upset*

Ki te āta ngaungau koe i te mīti, ka māmā ake te horomi — *If you chew your meat carefully, it will be easier to swallow*

Ka kī tō puku i tēnā! — *You will get full on that!*

Ki te pēnā tonu tō kai, ka mōmona rawa tō puku — *If you keep eating like that, you will become overweight*

Ka huka kore ā tātou kai, haere ake nei — *From now on all our food will be sugar-free*

Action phrase (Present tense = *Kei te . . .*)

Kei te tunu keke wīti-kore au	*I am cooking a gluten-free cake*
Kei te noho tātou ki te kai ināianei	*We are sitting down to eat now*
Kei te tunu heihei a Māmā	*Mum is cooking chicken*
Kei te wera ngā pereti, kia tūpato!	*The plates are hot, be careful!*
Kei te amuamu ngā tamariki mō te kai	*The children are complaining about the food*
Kei te kī te mīti i te pūmua kia pakari ai ō uaua	*Meat is full of protein to build your muscles*
Kei te hora te kai ki te tēpu	*The food is being served*
Kei te ngau taku puku	*I have a tummy ache*
Kei te whakamātau koe i ngā kai hou?	*Are you trying the new food?*

Action phrase (Have/Has = *Kua*)

Kua maoa te kai?	*Is the food cooked?*
Kua hora te kai o te pō	*Dinner is served*
Kua mutu taku kai	*I have finished eating*
Kua pau taku kai	*I have consumed/eaten all my food*
Kua mutu tō kai?	*Have you finished eating?*
Kua whakamātau kē au i tēnā, kāore au i rata!	*I have already tried that, and I didn't like it!*
Kua whakakā koe i te umu?	*Have you turned the oven on?*
Kua karakia koutou?	*Have you (3 or more) said grace?*
Kua mau he kai ki tōna korokoro	*He/She has some food stuck in his/her throat*

Action phrase (Past tense = *I*)

I whāngai hua whenua koe ki ngā tamariki?	*Did you serve some vegetables to the kids?*
I pau te katoa i a rātou?	*Did they eat the lot?*
I maringi i a wai te ranu tomato?	*Who spilt the tomato sauce?*
I maringi i a Mereana tāna inu	*Mereana spilt her drink*
I tōmuri koutou ki te parakuihi i te ata nei	*You (3 or more) were late to breakfast this morning*
I haere māua ki te hoko parāoa anō	*We (him/her and I) went to buy some more bread*
I mōhio rānei koe, e kī ana te parāoa i te warowaihā?	*Did you know that bread is full of carbohydrates?*
I whai koe i te tohutao?	*Did you follow the recipe?*

ĒTAHI ATU RERENGA WHAI TAKE
OTHER HANDY PHRASES

Kia hia te roa ka maoa?	*How long does it take to cook?*
Kia whā hāora	*Four hours*
Kāore āku taputapu kai	*I don't seem to have a knife and fork*
Anō māku	*Some more for me please*
Kua rahi tēnā	*That's enough*
Whakakīia taku koata	*Fill my glass please*
Taihoa, kia hangere noa, nē?	*Oh hang on, just half full, ok?*
Kua mutu koe?	*Are you finished?*
Kāore anō	*Not yet*
Kua tata kī taku puku	*Man, I am just about full*
Horoia ō ringa i mua i te kai	*Wash your hands before you eat*
E mangungu ana tēnei kai	*This food is not cooked properly*
Toka ana te manawa	*I am absolutely satisfied*

Mōrurururu ana ahau!	*My stomach is so full I can't move!*
Kei hea te toa ō rangaranga?	*Where is the takeaway shop?*
Kei te pīrangi pākī ahau	*I want a hamburger*
He kao rīwai māku	*I feel like potato fritters*
He rīwai kotakota māu?	*Do you want some chips?*
He inu māu?	*Would you like a drink?*
Anei tō mārau, tō māripi me tō kokorahi	*Here is your fork, knife, and tablespoon*
Kāore koe e kai mīti?	*Do you not eat meat?*
He huamata māu?	*Would you like some salad?*
Te kaha hūnene o te kai nei!	*Wow, what delicious food!*
E kai tonu koe, kaua e whakamā!	*Keep on eating, don't be shy!*
Kia ora – kua mākona taku hiakai	*No thanks – I can't eat any more*

You're likely to ask 'how many . . .?' or 'how much . . .?' a lot when cooking, so here's an important phrase to lock in: *Kia hia . . .*

Kia hia ngā hēki (māu)?	*How many eggs (do you want)?*
Kia hia ngā kokoiti huka?	*How many teaspoons of sugar?*
Kia kotahi te rīwai (māku)	*(I will have) one potato please*
Kia rua ngā paukena (māu)?	*(Do you want) two pieces of pumpkin?*
Pūnaunau!	*I'm full!*

WHAKATAUKĪ
PROVERBS

Nā tō rourou, nā taku rourou ka ora ai te iwi
With your food basket and my food basket the people will thrive

E mua kai kai, e muri kai hūare

Early arrivals have the pick of the food; late comers may miss out and only have their saliva to chew on

This is a great whakataukī to recite when calling the kids to the table to eat. They can sometimes meander or be so focused on something else that they ignore your call. If you recite this whakataukī you are basically saying to them, 'Come and get it now or you will miss out and go hungry!'

Te anga karaka, te anga kōura, kei kitea ki te marae

Don't leave shells of karaka berries and crayfish around the house

One take on this whakataukī when used on children during meal times is, 'Take your dishes to the sink and clean up your mess!'

HE NGOHE-Ā-WHĀNAU
WHĀNAU ACTIVITY TO MAKE COOKING A MĀORI LANGUAGE DOMAIN

....

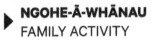

▶ **NGOHE-Ā-WHĀNAU**
 FAMILY ACTIVITY

....

Getting the kids to cook some basic things is a fun whānau activity, and it's fairly easy to tell them how to make something like a cupcake in te reo Māori if you have a te reo Māori tohutao (*recipe*) on hand! Try these ... they even taste good, we promise!

Te tunukai	*Cooking*
Parāoa puehu	*Flour (literally, bread dust)*
Huka mata	*Raw sugar (huka – sugar, mata – raw)*
Kāroti	*Carrot*
Hēki	*Egg*
Pūpū tunutunu/Pēkana paura	*Baking powder*

Noni tunutunu	*Cooking oil*
Tote	*Salt*
Pata	*Butter*
Kumete	*Bowl*
Konatu	*Blend/Mix*
Kōrori	*Stir around*
Tāwhiuwhiu	*Whip*
Koko/Pune	*Spoon*
Kokoiti	*Teaspoon*
Kapu	*Cup*
Haurua	*Half*
Waruwaru	*Grate*
Pāmahana	*Temperature*

Tohutao Keke Kāroti – Carrot Cake Recipe

Ngā whakauru	***Ingredients***
He pata	*Butter*
Kia 2 kapu parāoa puehu	*2 cups flour*
Kia 1½ kapu huka mata	*1½ cups of raw sugar*
Kia 3 kapu kāroti kua waruwarungia	*3 cups grated carrot*
Kia 4 hēki	*4 eggs*
Kia kotahi kokoiti iho hūperei	*1 tsp vanilla essence*
Kia 2 kokoiti pūpū tunutunu	*2 tsp baking powder*
Kia kotahi kapu noni tunutunu	*1 cup of cooking oil*
Kia 1½ kokoiti hinamana	*1½ tsp cinnamon*
Kia ½ kokoiti tote	*½ tsp salt*

Ngā tohutohu	***Instructions***
Tīkina he kumete	*Get a bowl*
Konatuhia atu te huka mata me te noni tunutunu ki te kumete	*Mix together the raw sugar and cooking oil in the bowl*
Kōroriroria	*Stir*

Tāwhiuwhiuhia ngā hēki	*Whip the eggs*
Konatuhia atu ngā hēki me te iho hūperei ki te kumete	*Mix together the whipped eggs and vanilla essence in the bowl*
Kōroriroria	*Stir*
Konatuhia atu te hinamana, tote, parāoa puehu me ngā kāroti kua waruwarungia ki roto i te kumete	*Mix the cinnamon, salt, flour, and the grated carrot into the bowl*
Konatuhia atu te pūpū tunutunu ki te kumete	*Mix the baking powder into the bowl*
Kōroriroria	*Stir*
Whakahinuhinuhia tētahi kumete keke ki te pata	*Grease a cake tin with butter*
Tunua te keke ki roto i te umu mō te kotahi hāora, kia 180 te pāmahana	*Bake in oven for an hour at 180° Celsius*

Te puru rourou/Pani reka	*Icing*
Kōroriroria te tīhi kirīmi me te huka puru rourou kia puta rā anō he reka e pai ana ki a koe	*Stir together cream cheese and icing sugar until you get the taste you are after*

Roroa Tiakareti – Chocolate Courgette Cakes

(With thanks to Eleanor Ozich!)

Ngā whakauru	*Ingredients*
Kia 2 kapu roroa kua heahea te tapatapahia	*2 cups of roughly chopped courgette*
Kia ½ kapu hinu kokonati kua rewa	*½ cup coconut oil or butter, melted*
Kia 2 kapu peru penupenu	*2 cups ground almonds*
Kia kotahi kapu huka kokonati	*1 cup coconut sugar*
Kia 4 hēki here kore	*4 free range eggs*

Kia kotahi kapu kōkō	*1 cup cocoa*
Kia 1½ kokoiti pēkana houra	*1½ tsp baking soda*

Ngā tohutohu / ***Instructions***

Whakamahanatia te umu kia 160 te pāmahana	*Preheat oven to 160° Celsius*
Whakahinuhinuhia ngā pae komeke, ipu keke kotahi rānei	*Grease muffin tins or a regular-sized cake tin*
Tukua ngā whakauru katoa ki te tāwhirowhiro ka tāwhirowhirotia ai kia kūrarirari rā anō	*Add all ingredients to a food processor and blend until very smooth*
Riringihia te ranunga ki ngā pae komeke, ki te ipu keke rānei	*Pour mixture into muffin tins or cake tin*
Tunua ki te umu mō te 30–40 meneti	*Bake in oven for 30–40 minutes*
Waiho kia mātao, kātahi ka whakanikonikohia	*Leave to cool, then decorate*

5. TE HOKOMAHA
THE SUPERMARKET

KŌRERO WHAKATAKI
INTRODUCTION

Trips to the supermarket are a common occurrence for most whānau; we all need to eat and get supplies! Because of the frequency of visits to the supermarket or hokomaha (sometimes two or three times a week!), it's the perfect place to try out a bit of reo!

KUPU WHAI TAKE
HANDY WORDS

HE HUA WHENUA	VEGETABLES
Rīwai	*Potato*
Rētihi	*Lettuce*
Kīkini	*Green pepper*
Pīni	*Bean*
Pītau pīni	*Green bean*
Kānga	*Corn*
Kūmara	*Sweet potato*
Kāroti/Uhikaramea	*Carrot*
Riki	*Onion*
Niko	*Cabbage*
Korare	*Silverbeet*
Hirikakā	*Chilli*
Paukena	*Pumpkin*

Aonanī	*Brussels sprout*
Puananī	*Broccoli*
Kamoriki	*Gherkin*
Rengakura	*Beetroot*
Uhikura	*Radish*
Huamata	*Salad*
Roi huamata	*Coleslaw*

HE HUA RĀKAU — FRUIT

Tomato	*Tomato*
Tarata	*Lemon*
Rāhipere	*Raspberry*
Huakiwi	*Kiwifruit*
Rōpere	*Strawberry*
Pītiti	*Peach*
Āporo	*Apple*
Patatini kuihi	*Gooseberry*
Patatini kikorangi/Tūrutu	*Blueberry*
Kerepe	*Grape*
Maika	*Banana*
Ārani	*Orange*
Pea	*Pear*

MĀTAITAI — SHELLFISH

Kūtai	*Mussel*
Tio	*Oyster*
Kōuraura	*Shrimp*

MĪTI — MEAT

Mīti kau	*Beef*
Kau mina-tote	*Corned beef*
Mīti poaka	*Pork*
Mīti hipi	*Mutton*
Reme	*Lamb*
Rara	*Chops*

Pēkana	*Bacon*
Poaka tauraki	*Ham*
Heihei	*Chicken*
Tōtiti	*Sausage*
Korukoru	*Turkey*
Rakiraki	*Duck*
Nakunaku	*Mince*

ĒTAHI ATU KAI · OTHER GROCERIES

Parāoa	*Bread*
Parāoa pū kākano	*Brown bread*
Pāpaki	*Pita bread*
Rōhi iti	*Bun*
Tōraha	*Sausage roll*
Pōhā	*Pastry*
Pōhā aparau	*Flaky pastry*
Miraka	*Milk*
Miraka whakatiki	*Low-fat milk*
Miraka pē/Waipupuru	*Yoghurt*
Kirīmi	*Cream*
Pata	*Butter*
Tīhi	*Cheese*
Huka	*Sugar*
Huka one	*Castor sugar*
Huka hāura	*Brown sugar*
Āwenewene	*Artificial sweetener*
Puehu huka	*Icing sugar*
Kawhe	*Coffee*
Tī	*Tea*
Korarā	*Milo*
Tote	*Salt*
Pepa	*Pepper*
Hēki	*Eggs*
Noni	*Vegetable oil*
Noni tāou	*Olive oil*

Wai hāro	*Soup*
Wairanu	*Sauce*
Wairanu huamata	*Mayonnaise/Salad dressing*
Wai petipeti	*Jelly*
Parehe	*Pizza*
Parāoa rimurapa	*Pasta*
Tīkohu parāoa	*Macaroni*
Kihu	*Noodles*
Kihu parāoa	*Spaghetti*
Pīni maoa	*Baked beans*
Namunamuā	*Spices*
Amiami	*Herbs*
Rauamiami	*Mixed herbs*
Kanekane	*Garlic*
Paitu kanekane	*Ginger*
Panikakā	*Mustard*
Panihā	*Pâté*
Tiamu	*Jam*
Mīere	*Honey*
Īhipani	*Marmite*
Pū kākano	*Cereal*
Wīti pīki	*Weet-Bix*
Pāreti	*Porridge*
Puarere	*Rice bubbles*
Kāngarere	*Cornflakes*
Patahua	*Muesli*
Raupāpapa	*Bran flakes*
Pāraharaha	*Pancakes*

TAPUTAPU HOROI — CLEANING PRODUCTS

Rehu matūriki	*Aerosol*
Rehu horoi kākahu	*Washing powder (clothes)*
Patu rango	*Fly spray*
Tāwhiri	*Air freshener*
Taitai pounamu	*Bottle brush*

Haukini	*Ammonia*
Whakatoki	*Bleach*
Patuero	*Antiseptic*
Pareumu	*Oven cloth*
Muku	*Dishcloth*
Taitai	*Dishwashing brush*
Patu kitakita	*Disinfectant*
Ūkui pepa	*Paper towels*
Kopa kirihou	*Plastic bags*
Kauoro	*Scrubbing brush*
Rauangiangi	*Tissues*
Puka heketua	*Toilet paper*

TAPUTAPU WHAKATĀUPE PERSONAL VANITIES

Patu mōrūruru	*Antiperspirant/Deodorant*
Hinu makawe	*Hair cream*
Pia makawe	*Hair gel*
Rehu makawe	*Hair spray*
Huka makawe	*Hair mousse*
Karahā	*Mouth freshener*
Pani ngutu	*Lipstick*
Pūreke	*Ointment*
Puru taiawa	*Tampon*
Kope wahine	*Sanitary pad*
Kukuweu	*Tweezers*
Rautangi	*Perfume*
Pare tīkākā	*Sunblock*
Taitai niho	*Toothbrush*
Pēniho	*Toothpaste*

RERENGA WHAI TAKE
HANDY PHRASES

Description (*He*)

He nui rawa te utu mō tēnā, whakahokia!	*That costs too much, put it back!*

He kai tino wainene te mīere	*Honey is a very sweet food*
He tāwara hīmoemoe tō te tarata	*Lemons have a very sour taste*
He pani ngutu whero, he pani ngutu pango hoki, tēnā koa	*Red lipstick and black lipstick, please*
He kakā rawa nō tērā momo kai	*That type of food is too spicy*
He kaha te haupatu a te haukini, nē hā?	*Ammonia is a very powerful detergent, isn't it?*
He pūioio rawa te mīti kau, he pai ake te mīti heihei ki a au	*Beef is too tough, I prefer chicken*
He reka te āhua o ēnei rōpere	*These strawberries look delicious*
He roa ēnei maika, nē?	*These bananas are long, aren't they?*
He pakapaka tēnei kai, nē?	*This food is crunchy, isn't it?*
He haunga te mīti nei, kua hē ngā rā!	*This meat stinks, it's passed its use-by date!*
Titiro ki te utu mō ēnei, he autaia tonu, nē?	*Look at the price of these, pretty good, eh?*
Āe, he nanakia tonu tēnā whakahekenga utu!	*Yes, that is a good drop in price!*

Location (*Kei hea/I hea?*)

Kei hea tā tāua rārangi kai?	*Where is our shopping list?*
Kāroti . . . kei hea ērā?	*Carrots . . . where are they?*
Kei hōngere tuawhā, kei tua o ngā puananī	*Aisle four, on the other side of the broccoli*
Kei runga rā te korarā! Kei runga ake i ngā puarere!	*The Milo is up there! Above the rice bubbles!*
Kei hea kē tērā?	*Where on earth is that (situated)?*
Kei hea ngā kūtai?	*Where are the mussels?*

Kei te wāhanga mātaitai	They're in the shellfish department
Māku e tiki, kia hia?	I'll get them, how many?
Kei muri ngā pūhiko i ngā kopa kirihou	The batteries are behind the plastic bags
Kei hōngere tuatoru	In aisle three
I hea tēnei?	Where was this?
Kāore i te pīrangitia ināianei, whakahokia	We don't need it now, put it back
Kei te wāhi hokohoko au	I am at the checkout
Kei waho ngā kai utu māmā/ Kei waho ngā kai kua whakahekea nei te utu	The food that's on special is outside
Kei hea ngā tōneke?	Where are the trolleys?

Command (Should = *Me*)

Me hoko karahā koe	You should buy some mouth/ breath freshener
Me kōtē ngā hua rākau kia kite ai mēnā kua maoa	Give those fruit a squeeze to see if they're ripe
Me noho mai koe ki te tōneke nei, e kō	Sit here on the trolley, my girl
Kuhuna ō waewae ki ngā kōhao e rua nei	Put your legs in these two spaces
Me hoko parāoa?	Shall I buy some bread?
Me kimi koe i te noni, te kihu parāoa, me ngā hēki	You go and find the vegetable oil, the spaghetti, and the eggs
Me waiho ngā rare me ngā inu mirumiru, he nui rawa te huka kei roto!	Leave the lollies and the fizzy drinks alone, there's too much sugar in them!
Me hoko miraka anō?	(Shall we) Buy more milk?
I pōhēhē au he maha e toe ana	I thought (mistakenly) there was plenty left

Me hoko puehu pūmua mō ngā mōhani ata kia pakari ai ō tātou hauora!	*Buy some protein powder for our morning smoothies so we get fit and healthy!*
Me hoko tāwhiri hei patu i te haunga o ō tiko!	*Buy some air freshener to get rid of those awful smells you make (in the toilet)!*
Me haere mai koe ki te hokomaha hei hoa mōku	*Come to the supermarket with me, so I have a friend to go with*

Command (Don't = *Kaua/Kāti*)

Kaua e whāwhā i tēnā, he tino pīrahi rawa atu	*Don't touch that, it's very fragile*
Kaua e tata rawa ki ngā whata kei tuki ki te kai, ka taka ki te papa	*Don't go too close to the shelves, in case you bump the food and it falls to the floor*
Kaua e raweke i ngā āporo, kei marū i a koe	*Don't fiddle with the apples or you'll bruise them*
Kāti te tutetute	*Stop pushing and shoving*
Kāti te amuamu	*Stop moaning*
Kāti te tono rare, kua kai rare kē koe i te rā nei	*Stop asking for lollies, you've already had some today*
Kaua e rukea te kai ki te papa nekeneke nei, me āta tuku	*Don't hurl the food onto the conveyor belt, put it on nice and carefully*
Kaua e hoko kia kotahi anake, hokona kia ono	*Don't just buy one, buy six*
Kaua tātou e whakaae ki tēnā utu, he whānako!	*We aren't going to pay that price, that's a rip off!*
Kaua e oma atu, kei ngaro koe	*Don't run off or you may get lost*

Command (Do = *Kia/E*)

Kia tūpato kei kohetengia koe!	*Be careful or you'll get told off!*
Kia tūpato, ka riri ngā kaimahi ki a koe!	*Be careful, the staff will get angry with you!*
Kia tere tō kimi i ngā kai kurī!	*Hurry up and find the dog food!*
Kia tere tō kōwhiri!	*Hurry up and choose!*
Kia tau!	*Settle down!*
Whakataringa!	*Listen!*
Turituri!	*Be quiet!*
E tū!	*Stop!/Stand up!*
E noho!	*Sit down!*
Kia mataara!	*Be alert!*

Action phrase (Future tense = *Ka/Ki te . . . ka . . .*)

Ki te heke te utu mō te mīere, ka hokona	*If the price of honey drops, we will buy some*
Ki te tere rawa tō peipei i te tōneke, ka aituā koe	*If you push the trolley too fast, you will have an accident*
Ki te pau wawe te kai, ka hoki anō tāua ki te hokomaha	*If the food runs out quickly, we (you and I) will go back to the supermarket*
Ka hoko a Whaea Mere i ā tātou kai mō te wiki nei	*Aunty Mary will be buying our food this week*
Ki te tūpono koe ki ētahi kamoriki, hokona māku	*If you come across some gherkins, buy them for me*
Ka hoko patu rango koe? Hōhā ngā rango!	*Will you buy some fly spray? Those flies are getting on my nerves!*
Ki te hoko i ngā kai katoa ināianei, ka kī ngā whata o te kāinga mō te wiki	*If we buy all the food now, our cupboards will be full for the week*

Ka pai te parehe Hawaiana mā ngā tamariki	*A Hawaiian pizza will be fine for the kids*
Ki te pēnā koe, ka maringi mai te miraka	*If you do that, the milk will spill out*
Ki te kai ia i tēnā, ka ruaki ia	*If he/she eats that, he/she will throw up*

Action phrase (Present tense = *Kei te . . .*)

Kei te aha tāua, Māmā?	*What are we (you and I) doing, Mummy?*
Kei te hoko kai tāua	*We (you and I) are buying food*
Kei te tiki ārani au	*I am getting the oranges*
Kei te tatau ia i te utu mō ā tātou kai	*He/She is calculating the cost of our food*
Kei te piere te mōkihi	*The packet is split*
Kei te kimi tīwara hei huaki i ngā kāho kai	*I am looking for a can opener to open the cans of food*
Kei te haere mātou ki te hokomaha, me koe?	*We (3 or more, not you) are going to the supermarket, and you?*
Kei te hoko pēkana koe? He aha ai?	*Are you buying bacon? Why?*
Kei te muia rawatia te hokomaha, me hoki mai anō tātou a tōna wā	*The supermarket is too packed, we (all of us) will come back again later*
Kei te pau haere te miraka, me haere ki te hokomaha	*The milk is running low, time to go to the supermarket*
Kāo, hei aha ēnā, kei te rahi ngā hua rākau i te kāinga	*No, never mind those (fruit), there is plenty of fruit at home*

Action phrase (Have/Has = *Kua*)

Kua marū ēnei āporo	*These apples are bruised*
Kua pirau ngā huakiwi	*The kiwifruit are rotten*

Ka pēhea tēnei, Pāpā?	*How about this, Daddy?*
Kua whakamātau kē koe i tēnā, kāore koe i rata!	*You've already tried that and you didn't like it!*
Kua rau atu ngā pouaka rauangiangi ki te tōneke?	*Have you put the boxes of tissues into the trolley?*
Kua puta ia ki waho, he hōhā nōna!	*He/She has gone outside, he/she is over it!*
Kua hoko taitai niho hou au māu	*I have bought a new toothbrush for you*
Kua tae tāua ki te hokomaha	*We (you and I) have arrived at the supermarket*
Kua tae tāua ki te wāhanga hoko mīti	*We (you and I) have arrived at the butchery (place where we buy meat)*
Kua tutuki te hoko, kua pai te tuku ki te pēke ināianei	*The purchase has been completed, you can put it in the shopping bag now*
Kua hoki tātou ki te kāinga me ā tātou kai pārekareka, ā tātou utauta, nē?	*We (all of us) can go home now with our delicious food and supplies, ok?*

Action phrase (Past tense = *I*)

I haere au ki te hokomaha inanahi, me haere anō au?	*I went to the supermarket yesterday, do I need to go again?*
I pēhea te haere ki te hokomaha?	*How was the trip to the supermarket?*
I pai, engari i pakaru i a Mere te ipu tiamu	*It was good, but Mere broke the jam jar*
I haunga ngā rara, nō reira, i whiua (e au)	*The chops smelled funny, so (I) threw them out*
I kitea te hekaheka e tipu ana i ngā pāpaki, nō reira, i whakahokia (e au) ki te hokomaha	*There was mould growing on the pita bread, so (I) took it back to the supermarket*

I hoatu pūtea ki ngā tamariki kia hoko ai rātou i ā rātou ake kai	*I gave the kids some money so that they (3 or more) could have a go at buying their own food*
I haere māua ki te hoko tōraha engari kua kati kē te hokomaha	*We (him/her and I) went to buy some sausage rolls, but the supermarket was already closed*
I whakahekea te utu mō ngā pītiti, nō reira, inā te maha i hokona	*The peaches were on special so I bought heaps*
I whakahoki koe i te tōneke ki tōna tauranga?	*Did you return the trolley to the trolley stand?*
I hoko nakunaku koe? He pai ki a au te nakunaku	*Did you buy some mince? I love mince*
I whai ia i ō tohutohu?	*Did he/she follow your instructions?*

ĒTAHI ATU RERENGA KŌRERO WHAI TAKE
OTHER HANDY PHRASES

It's always handy to know how to say grace in Māori. Here is a simple grace that you can learn together with the whānau, and start to use before meal times. Use before every meal during the course of a week, and everyone will know it off by heart, guaranteed!

Karakia whakapai kai	*Grace*
Nau mai e ngā hua o Papaahurewa o Ranginui kete kai	*I welcome the gifts of food provided by the earth mother and the sky father, bearer of food baskets*
Whītiki kia ora!	*Gifts bound together to sustain all of us!*
Haumi e, hui e, tāiki e!	*United and connected as one!*

WHAKATAUKĪ
PROVERBS

He huahua te kai? A, he wai te kai

Are preserved pigeons the chiefly food? No, it's water

This is a good whakataukī to use when the kids are heading to get a fizzy drink, and you are saying, 'water is the better option!' You can even have a little play with the words of this whakataukī, like we often do with many of our whakataukī, to make them relevant to today's contexts, like this:

He huka te kai? A, he wai te kai

Is sugar the food of chiefs? No, it's water

He inu mirumiru te kai? A, he wai te kai

Are fizzy drinks the food of chiefs? No, it's water

Hīnana ki uta, hīnana ki tai

Our store house is full of succulent food from coast and land

He manako te kōura i kore ai

Wishing for the crayfish won't bring it

We have to work to achieve our goals and put food on the table. Things won't just fall into our laps.

HE NGOHE-Ā-WHĀNAU
WHĀNAU ACTIVITY TO MAKE GOING TO THE SUPERMARKET A MĀORI LANGUAGE DOMAIN

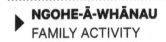

▶ **NGOHE-Ā-WHĀNAU**
FAMILY ACTIVITY

These days you can get some pretty cheap supermarket sets from places like K-Mart. They usually come with a variety of common food and household supplies that you find at the supermarket. If it has a cash register or hake ukauka, even better! If not, a simple toy cash register is not overly expensive either. These supermarket sets are awesome resources to use to promote and encourage you and your children to speak Māori. Take the time out to play with the kids, using the words and phrases in this chapter. You can practise at home, then go onto the 'world stage' and kōrero Māori at a real-life supermarket.

Pāpā, he aha te mahi a tērā mea?

Daddy, what does that thing (over there) do?

1. He hake ukauka tērā
   That is called a cash register
2. He karu tōnā hei pānui i te utu o tēnā mea, o tēnā mea
   It has an eye (laser) that reads the price of each and every item
3. Ka titiro te karu ki te tautohu kia mōhio ai ia, he aha tēnā mea, e hia hoki te utu
   The eye (laser) reads the barcode so it knows, what each item is and the price of each item
4. Ina rongo koe i te tangi, koia te tohu kua pai te kuhu i tēnā mea, i tēnā mea ki te pēke
   When you hear the beep, that means it's now ok to put the items in the shopping bag
5. Mō ngā hua whenua me ngā hua rākau, me ine rawa i te taumaha, mā reira e mōhiotia ai te utu
   Fruit and vegetables need to be weighed to determine what their price is

Māmā, he aha te mahi a te kāri nā?

Mummy, what does that card do? (Eftpos card)

1. Me kuhu te kāri nei ki te kapiti nei, ka tō haere ai, mai i runga ki raro
   You put the card into the slot, then drag it through the slot from top to bottom

2. Kātahi ka tohua ko tēhea tahua, me tango mai ngā moni i
   reira
   *Then you choose which account you want to take money
   out of for your purchase*
3. Ko taku tātai whaiaro, ka tuku ai
   Then you put your pin number in
4. Ki te waimarie, ka ea te nama, kua hoki pai atu tāua ki te
   kāinga
   *And, if luck is on your side, the transaction gets accepted
   and we can go home*

Source: Hēni Jacob, *Mai i Te Kākano*, Te Wānanga o Raukawa, 2012.

6. NGĀ MŌKAI
PETS

KŌRERO WHAKATAKI
INTRODUCTION

Many families have pets, usually a cat or a dog, and they become constant companions in just about everything the whānau does. Sometimes it's best to practise speaking Māori to your pet: they never tell you off for making grammatical mistakes and they almost always seem to understand what you are saying!

KUPU WHAI TAKE
HANDY WORDS

Auau	*Bark/Yelp*
Kihakiha	*Pant*
Kiriahi	*Stick close to fire or heater*
Koko	*Scoop up*
Kōpako	*Back of head*
Harapaki	*Catch fleas or kutu (lice)*
Hīrakaraka	*Silky*
Huruhuru	*Fur*
Maimoa	*Cherish/Take care of*
Mōkai	*Pet*
Mōtiro kai	*To beg for food using eyes/ Look longingly at food*
Mōnehunehu	*Furry*
Muia	*Infested with*
Ngengere	*Snarl*
Pīoraora	*To shake oneself*

Sometimes it's best to practise speaking Māori to your pet: they never tell you off for making grammatical mistakes and they almost always seem to understand what you are saying!

Poka	*Neuter*
Pōpō	*Pat*
Puruhi/Tuiau	*Flea*
Takaoraora	*Toss oneself about*
Takawhitiwhiti	*Writhe/Toss oneself about*
Taura here	*Leash*
Tetē	*Clench or bare teeth*
Whiuwhiu	*Wag tail*
Whakahīkoi	*Take for a walk*
Whāngai	*Feed*
Whāinu	*Give drink to*
Punua	*Infant pet (e.g. puppy – punua kurī)*
Uwha	*Female (of animals)*
Taurawhi	*Male (of animals)*

NGĀ MOMO MŌKAI
TYPES OF PETS

Kurī	*Dog*
Ngeru	*Cat*
Ika koura	*Goldfish*
Kinikini	*Guinea pig*
Rāpeti	*Rabbit*
Manu	*Bird*
Hōiho	*Horse*

RERENGA WHAI TAKE
HANDY PHRASES

Belonging to (*Ko/Nā/Nō*)

Ko te rāpeti tēnei a Mere	*This is Mere's rabbit*
Nāku tēnei manu, ko Hikihiki tōna ingoa	*This is my pet bird, Hikihiki is her name*
Nāku ēnei rāpeti	*These rabbits are mine*

Nā te whānau Roberts ērā kurī	*Those dogs (over there) belong to the Roberts family*
Nā ngā tamariki te ngeru, me pōpō koe	*That's the kids' cat, stroke him if you like*
Ko wai te ingoa o tō ngeru?	*What is the name of your cat?*
Nāu te kurī, māu ōna tūtae e koko	*He/She is your dog, you scoop up his/her poop*
Ko aku ika ēnei, ko Tū, ko Tī, ko Tā	*These are my pet fish, Tū, Tī, and Tā*
Ko te taiwhanga ika hou tēnei mō āku ika	*This is my pet fishes' new tank*
Nā māua ko Hina tēnei kinikini	*This guinea pig belongs to Hina and me*

Description (*He*)

He mōkai ngākau pono te kurī	*Dogs are very loyal pets*
He mōkai māngere te ngeru	*Cats are lazy pets*
He pīwari ngā punua kinikini rā	*Those baby guinea pigs (over there) are very cute!*
He rawe ki taku kurī te kiriahi	*My dog loves snuggling up to the heater*
He hīrakaraka ōna huruhuru, nē hā?	*His/Her fur is very silky, isn't it?*
He kurī whakaratarata ia	*He/She is a tame dog*
He poto ōna huruhuru	*He/She has short hair/fur.*
He roa ōna huruhuru	*He/She has long hair/fur*
He ika hiakai ēnei, nē?	*These fish have big appetites, don't they?*
He haunga te kumu o tō kurī!	*Your dog's butt stinks!*

Location (*Kei hea/I hea?*)

Kei hea te kai a ngā manu?	*Where is the bird food?*

Kei runga i te tūpapa i te kāuta	*On the bench in the kitchen*
I roto te kurī i tōna whare kurī	*The dog was in his dog house*
Kei roto te kurī i te whare kurī	*The dog is in the dog house*
Kei hea ngā ika koura?	*Where are the goldfish?*
Kei muri ngā ika koura i te kōhatu e huna ana	*The goldfish are hiding behind the rock*
Kei hea te tauera hei whakamaroke i te ngeru?	*Where is the towel to dry the cat?*
Kei te mahau tō kai	*Your food is on the deck/ porch*
Kei waho tō wāhi moe	*Your sleeping place is outside*
Kei te hāneanea te ngeru	*The cat is on the couch*

Command (Should = *Me*)

Me whāngai koe i ngā ika koura	*You should feed the goldfish*
Me whāinu koe i ngā kurī auau rā	*You should give those yelping dogs a drink*
Me pōpō koe i tōna kōpako, kia mōhio ai ia i pai tana mahi	*Gently pat the back of his/her head, so he/she knows he/she did well*
Me āta kotē atu te rongoā patu puruhi ki tōna kōpako kia kore ai e whāwhāhia e ia, he tāoke kei roto	*Gently squeeze the flea treatment on the back of his head so he can't get at it, it's poisonous*
Me hari pea ki te tākuta kararehe, kia pokaina ngā raho	*Maybe we should take him to the vet to get neutered*
Me horoi koe i tō kurī, he haunga hoki nōna!	*You need to wash your dog, he stinks!*
Me kuti ōna huruhuru, he roa rawa	*Trim his/her hair/fur, it's too long*

Me whakahīkoi au i taku kurī ia ata, kia pakari ai tōna hauora, me tōku hoki!	*I need to walk my dog every morning so he/she gets fit and healthy, and me too!*
Me tiaki koe i ō kinikini, kei mate i tā tātou kurī!	*You need to look after your guinea pigs, or the dog will get them!*
Me tākaro koe ki tō kurī!	*Go and play with your dog!*

Command (Don't = *Kaua/Kāti*)

Kāti te mōtiro kai me te mea nei kāore au i te paku whāngai i a koe!	*Stop staring at me as if I never feed you!*
Kaua e kapo mai i te kai	*Stop snatching at your food (food is still in your hand)*
Kaua e tukua kia mitimiti i tō kanohi, ākene pea i te mitimiti ia i tōna kumu i mua tata nei	*Don't let him/her lick your face, he/she might have been licking their butt a short time ago*
Kaua e moe ki konā	*Don't sleep there*
Kāti te auau	*Stop barking*
Kāti te whakahōhā mai	*Stop annoying me*
Kāti te ngaungau i tēnā	*Stop chewing on that*
Kāti te aruaru waka	*Stop chasing cars*
Kāti te aruaru tāngata	*Stop chasing people*
Kāti te hopu manu	*Stop catching birds*

Command (Do = *Kia/E*)

Kia tūpato kei ngaua koe!	*Be careful or he/she might bite you!*
Kia tūpato, ka riri ia i ō whakataratara!	*Be careful, he/she will get angry at your taunts!*
Kia mau i a koe he puruhi, harapakihia!	*If you catch a flea, kill it!*

Kia manawanui!	*Be patient! (If the pet is over enthusiastic to get outside or off the leash, etc.)*
Kia tau!	*Settle down!*
Kia kaha!	*Keep going!*
Kia tere!	*Hurry up!*
Whakarongo!	*Listen!*
Hoihoi!	*Be quiet!*
E tū!	*Stop!/Stand up!*
E moe!	*Sleep!*
Takoto!	*Lie down!*
Hurihia!	*Roll over!*
E oma!	*Run!*
Tīkina!	*Fetch!*
Whakahokia mai!	*Bring it here!*
E kai!	*Eat!*

Action phrase (Future tense = *Ka/Ki te . . . ka . . .*)

Ki te pā te wera ki te kurī, ka kihakiha ia	*When a dog gets overheated, it tends to pant*
Ki te tūkino koe i tō mōkai, ka maunanawe ia	*If you mistreat your pet, they will be scarred*
Ki te paki te rā, ka haere tāua ki te hīkoi	*If the weather improves, you (the dog) and I will go for a walk*
Ka tiaki a Whaea Mere i ā tātou manu a te wiki nei	*Aunty Mary will be looking after our birds this week*
Ki te rakurakua a konei, ka tamumu ia	*If you scratch here, he/she will purr*
Ki te oraora tōna waero, he tohu tēnā, kei te rata ia ki a koe	*If he/she wags his/her tail that's a sign he/she likes you*
Ki te ngau ia i te tangata, ka raru nui tātou!	*If he/she bites someone, we will be in big trouble!*
Ka pai ia	*He/She will be fine*

Ki te pēnā koe, ka auau ia — *If you do that, he/she will bark*

Ki te kai ia i tēnā, ka pirau ōna niho — *If he/she eats that, his/her teeth will rot*

Action phrase (Present tense = *Kei te . . .*)

Kei te whakahīkoi au i te kurī — *I am walking the dog*

Kei te whakaomaoma au i taku kurī — *I am taking my dog for a run*

Kei te rongo koe i a ia e tamumu ana? He mahi āhuareka tēnei ki a ia — *Can you hear him purring? He really likes this*

Kei te tetē ia, kia tūpato! — *He is baring his teeth, be careful!*

Kei te tamumu te ngeru — *The cat is purring*

Kei te moe te ngeru — *The cat is sleeping*

Kei te tākaro te kurī — *The dog is playing*

Kei te tāhoehoe ngā ika — *The fish are swimming around*

Kei te tiaki koe i te mōkai i te rā nei — *You are looking after the pet today*

Kei te mokemoke au ki a Ziggy — *I miss Ziggy (the pet dog)*

Action phrase (Have/Has = *Kua*)

Kua rakuraku anō te kurī nei! Kāore anō kia toru wiki i te uhitanga ki te rongoā patu puruhi! — *This dog has started scratching again! It hasn't even been three weeks since his flea treatment!*

Te āhua nei, kua muia anō tā tātou ngeru e te puruhi! — *Looks like our cat is riddled with fleas again!*

Kua puta ngā kinikini i te taiwhanga — *The guinea pigs have got out of the cage*

Kua pā te mate ponapona ki tā rātou kurī — *Their dog has been afflicted with arthritis*

Kua hōhā au ki tēnā ngeru — *I have had enough of that cat*

Kua patu mauhi a Tame (te ngeru)!	Tom (the cat) has killed a mouse!
Kua mate koe ki te horoi anō i a ia, kei te haunga tonu!	You will have to wash him/her again, he/she still stinks!
Kua amuamu mai anō ngā kiritata mō tā tātou kurī hoihoi	The neighbours have complained again about our noisy dog
Kua tekau tau tērā kurī ki tērā whānau	That dog has been with that family for 10 years
Kua oma te ngeru ki tērā taha o te huarahi	The cat has run across the road

Action phrase (Past tense = I)

I mate ā mātou ika koura inanahi	Our goldfish died yesterday
I riri ia ki a koe nā te mea i kukume koe i tōna waero	He got angry with you because you pulled his tail
I haunga ia nā te mea kāore koe i horoi i a ia	He/She stunk because you didn't wash him/her
I auau ia, he hiakai nōna	He/She barked because he/she was hungry
I whāngai au i a rātou i te ata nei	I fed them (3 or more) this morning
I haere māua ki tātahi kia omaoma ai ia	We (him/her and I) went to the beach so he/she could have a run around
I harikoa ngā kinikini ki tō rāua taiwhanga hou	The guinea pigs were happy with their (2) new cage
I haere koe ki te hōtaka whanonga kurī i te rā nei? Ka pai, ka pai!	Did you go to dog obedience training today? Good boy, good boy!
I kōwhiri au i a ia, he māhaki nō tōna wairua	I chose him/her, because he/she has a gentle nature
I whakarongo ia ki ō tohutohu?	Did he/she listen to your instructions?

NGĀ KŌRERO MŌ WAENGANUI I A KŌRUA KO TŌ MŌKAI
PHRASES JUST FOR YOU AND YOUR PET

Ko wai taku tino hoa i te ao nei, ko koe?	*Who's my best friend in the world, is it you?*
Auē! Kua tiko anō koe ki roto i te whare?	*Oh no, you've pooped in the house again?*
Ka nui tēnā! Kei te panaia koe ki waho!	*That's enough! You're going outside!*
Haere mai ki konei kia rapirapihia tō kumu!	*Come over here so I can scratch that butt!*
Hurihia, tīraha mai, kia rapirapihia tō puku	*Roll over, lie on your back, so I can scratch your stomach*
He tākiri kākā mā wai?	*Who wants a treat?*
Ko wai kei te pīrangi horotai?	*Who wants a treat?*
Anei rā he mīti mata māu	*Here is some raw meat for you*
Tukua iho, tukua iho	*Drop it, drop it*
Hurō! I mimi koe ki te wāhi tika, koia kei a koe!	*Hooray! You peed in the right place, good boy/girl!*
I te ketuketu anō koe ki roto i te ipu para?	*Were you digging around in the trash again?*

ĒTAHI ATU RERENGA WHAI TAKE
OTHER HANDY PHRASES

He aha tēnā haunga?	*What is that stench?*
Māku ia e horoi	*I will wash him/her*
Puta rawa mai te kurī i te wai, ka pīoraora kia maroke ai	*As soon as the dog emerged from the water, he shook himself/herself dry*
Auē, tō hūware!	*Eeew yuck, your saliva!*
Mirimirihia ōna taringa kia tau ai	*Caress his/her ears to relax him/her*

Koirā te mate o tō kurī, kei te ekeeke ia i ngā mea katoa, pokaina ōna raho!

The problem with your dog is, he is doing the wild thing with everything in sight, you need to neuter him!

WHAKATAUKĪ
PROVERBS

He mate kāhu kōrako
Desire the hawk with white feathers
This whakataukī talks about lofty ambitions. Hawks were highly regarded as chiefly pets, but very few were able to tame them.

He ihu kurī, he tangata haere
As a dog follows a scent, a wayfarer looks for an open door

Ko Tutunui i pae ki uta
Tutunui, the pet whale that was led ashore to his doom
A proverb that encourages good treatment of pets. The story goes that Tinirau had a pet whale called Tutunui. Kae, a tohunga from a neighbouring island, had just baptised Tinirau's son and requested he be allowed to return to his island on the back of the pet whale, Tutunui. Tinirau reluctantly ageed but told Kae to disembark before the whale got to shore. Kae drove Tutunui right up to the beach, killed the whale, cooked it and ate it. Tinirau killed Kae for revenge, but never got over the death of his beloved pet whale.

HE NGOHE-Ā-WHĀNAU
WHĀNAU ACTIVITIES TO MAKE TALKING TO YOUR PETS A MĀORI LANGUAGE DOMAIN

 NGOHE-Ā-WHĀNAU TUATAHI
FAMILY ACTIVITY 1

Nā wai tēnei tangi? – Identifying animal voices

This is an easy game to play and the animals you can include is limitless. Smaller children especially find this type of game very entertaining and engaging. Simply Google or YouTube animal sounds on your phone or computer and play them to your children, asking the question: 'Nā wai tēnei tangi?' Get them to respond in Māori, starting with the first word of your question, 'Nā te (insert name of animal)'. Start with some of the pets listed in this section of the book – kurī (*dog*), ngeru (*cat*), manu (*bird*) – and gradually extend the list to include native birds and common animals of the world. You will need a dictionary to help you find the words for the animals you use.

Now, you can either play the sound . . . or for even more fun and entertainment, attempt to make the sound yourself. A lot of laughter in this one, but also a lot of learning!

Nā wai tēnei tangi?	*Who is making this noise?*
Nā te manu!	*A bird!*
Nā wai tēnei tangi?	*Who is making this noise?*
Nā te rakiraki!	*A duck!*

NGOHE-Ā-WHĀNAU TUARUA
FAMILY ACTIVITY 2

Takirua – The Pairs Game

Another easy game to play. You can pick up animal pair cards from the $2 shop. The key to making this a language learning game is to say out loud the Māori name for each animal card when it is turned over, and have a key question ready to ask the kids when they find a matching pair.

For example:

He ngeru! He aha ngā āhuatanga o te ngeru?	*A cat! What are some of the characteristics of a cat?*
He māngere, ka tamumu . . .	*It is lazy and it purrs . . .*
E hia ngā waewae o te ngeru?	*How many legs does a cat have?*
He pēhea te tangi a te ngeru?	*What sound does a cat make?*
He ririhau, he tau rānei te ngeru?	*Is a cat aggressive or calm and easy-going?*

7. TĀTAHI
THE BEACH

KŌRERO WHAKATAKI
INTRODUCTION

No matter where you live in Aotearoa New Zealand, the beach and the ocean are never far away. The beach is definitely high on the agenda of activities for many whānau, whether it be a day trip or for a bit longer during school holidays. It provides the perfect setting to use te reo Māori!

KUPU WHAI TAKE
HANDY WORDS

Moana	*Sea/Ocean*
Onepū	*Sand*
Ngaru	*Wave*
Paketai	*Driftwood/Anything cast up on the beach*
Rimurimu	*Seaweed*
Tāhuna taipū	*Sand dunes*
Toka	*Rock*
Huka	*Sea foam*
Ika	*Fish*
Karoro	*Seagull*
Kūtai	*Mussel*
Tuangi	*Cockle*
Mātaitai	*Shellfish*
Pāpaka	*Crab*
Pātangaroa	*Starfish*

Pāinaina	*Sunbathe*
Manapou	*Lifeguard*
Kōpapa	*Surfboard*
Kauere	*Rip*
Pōhutuhutu	*Splash about in the water*
Ārai tīkākā	*Sunscreen*
Haki	*Flag*
Toremutu	*To dive up and down in the water*
Mātiatia	*Sand tussock*
Moutere	*Island*
Uta/Ākau	*Shore*
Ākau tokatoka	*Rocky shore*
Haumaru	*Safe*
Waka moana	*Boat*
Pūrere tautau	*Outboard motor*
Pipi	*Bivalve*
Marino	*Calm*
Wahapū	*Harbour*
Wāpu	*Wharf*
Whakatere	*Launch*
Haumiri	*Sail or drive a boat close to shore*
Kahu kautere	*Lifejacket*
Tautara	*Fishing rod*
Kuku	*Nip/Bite*
Matau	*Hook*
Mōunu	*Bait*
Pari	*Cliff*
Taunga ika	*Fishing ground*
Whenewhene	*Rough sea*
Urukāraerae	*Strong wind from the sea*
Tuku uta	*Offshore wind*
Tāwaho	*Wind from the sea*
Mōrearea	*Dangerous*

Māngoingoi	*Fish with a line from shore/ Surfcasting*
Taihua	*Intertidal zone*
Hauhau	*Windy*
Hinemoana	*Female guardian of the sea*
Hinekirikiri	*Female guardian represented by the intertidal zone*
Kaikōpura	*Strong summer wind*

RERENGA WHAI TAKE
HANDY PHRASES
Belonging to (*Ko/Nā/Nō*)

Ko te marae o Hinekirikiri te kāinga o te tuatua	*The intertidal zone is the home of the tuatua*
Ko te moana taku tino wāhi	*The sea is my favourite place*
Ko te pāinaina taku tino mahi	*Sunbathing is my favourite pastime*
Nō Tangaroa tēnei rohe, me mihi tātou ki a ia	*This is the sea god's domain, we should pay acknowledgement*
Nō wai tēnei tauera tātahi?	*Whose is this beach towel?*
Nōku!	*It's mine!*
Nā wai ēnei kūtai?	*Whose are these mussels?*
Nāku!	*Mine!*
Nā wai ēnei taputapu tākaro tātahi?	*Who do these beach toys belong to?*
Nā ngā tamariki!	*They belong to the kids!*
Ko te pōro tātahi tēnā a Mere	*That's Mere's beach ball*
Nōku ēnā mōwhiti ārai-rā	*Those are my sunglasses*
Nō ā tāua tamariki ngā pōtae e pūhia mai rā e te hau	*Those hats being blown by the wind belong to our kids*

Description (*He*)

He pārekareka ki ngā tamariki te pōhutuhutu haere i te wai	*Kids love splashing about in the water*
He ātaahua tēnei rā	*This is a beautiful day*
He rawe ki ngā tamariki te toremutu haere i te wai	*Kids love diving up and down in the water*
He tawhiti ki tātahi	*It's a long journey to the beach*
He rangi wera tēnei	*This is a hot day*
He reka te tāmure nei	*This snapper is delicious*
He kaha rawa te pupuhi a te hau	*The wind is blowing too strongly*
He makariri te wai	*The water is cold*
He ngaru nui ērā	*Those (over there) are huge waves*
He hōhonu rawa te wai	*The water is too deep*

Location (*Kei hea/I hea?*)

Kei hea tō tauera?	*Where is your towel?*
Kei roto	*Inside*
Kei roto ngā taputapu tākaro tātahi i te whata	*The beach toys are in the cupboard*
I roto te kurī i te moana	*The dog was in the ocean*
Kei hea ngā kōura? E aua, kāore i kitea!	*Where are the crayfish? Don't know, didn't find any!*
Kei hea ngā pipi?	*Where are the pipi?*
Kei Tangaroa-whakamau-tai	*In the part of the ocean where the waves break and roll on shore*
Kei muri ngā tamariki i ngā mātiatia e huna ana	*The children are hiding behind the sand tussock*
Kei hea te tauera hei whakamaroke i tō tinana?	*Where is the towel to dry your body?*
Kei korā	*Over there*

Kei te mahau te ārai tīkākā   *The sunscreen is on the deck/porch*

Kei te marae o Hinekirikiri rātou e tākaro ana   *The kids are down on the wet sand playing*

Kei muri te rā i ngā kapua   *The sun is behind the clouds*

Command (Should = *Me*)

Me haere tātou ki tō tātou whare hararei hei ēnei rangi whakatā, nē?   *Let's (all of us) go to our bach this weekend, shall we?*

Me anganui atu ki te moana, e te tau   *Make sure you face the ocean, my darling one*

Me noho tonu tāua ki ngā wai pāpaku   *Let's (you and I) stay in the shallow water*

Me pani tō kiri ki te ārai tīkākā   *Put your sunscreen lotion on*

Me hari wai māori, kei maroke hangehange te tinana   *Take some water, in case we get dehydrated*

Me kaukau ki waenganui i ngā haki   *Swim between the flags*

Me hari koe i tō kōpapa   *You should take your surfboard*

Me haere tāua ki te eke ngaru   *Let's (you and I) go for a surf*

Me mau pāraerae, kei te wera ngā onepū   *Wear your jandals, the sand is hot*

Me uwhiuwhi koe kia pai ai te horoi atu i te wai tote i tō tinana   *You should have a shower to wash the salt water off your body*

Kei tātahi tātou, me hoko ō rangaranga! He ika me ngā rīwai kotakota mā wai?   *We're at the beach, we should have some takeaways! Fish and chips anybody?*

Command (Don't = *Kaua/Kāti*)

Kaua e heahea mēnā kei wē moana koe	*Don't be stupid when you are out at sea*
Kaua e wareware ki te tuku karakia ki a Tangaroa	*Don't forget to give thanks to the sea god*
Kaua e wareware ki te whakahoki i te ika tuatahi ki a Tangaroa, koia te ika i te ati	*Don't forget to return the first of your catch to the sea god, that is your gift back to him*
Kaua e huri tuarā atu ki a Hinemoana	*Don't turn your back on the ocean*
Kaua e kauhoe atu ki ngā wai hōhonu	*Don't swim out too deep*
Kāti te makamaka onepū	*Stop throwing sand*
Kaua e whakatata atu ki te wai kauere	*Don't go anywhere near a rip*
Kaua e roa rawa te pāinaina, kei tīkākā tō kiri	*Don't sunbathe for too long, in case you get sunburnt*
Kaua e huhuti tipu i ngā tāhuna	*Don't pull out the tussock in the sand hills*
Kaua e tomo ki ngā ana tāhuna	*Don't go into any of the caves (holes) in the sand hills*

Command (Do = *Kia*)

Kia tūpato ki te kauere, kei riro koe	*Be careful of rips, in case you get swept away*
Kia tūpato ki ngā pāpaka, kei kuku i ō matikara	*Be careful of the crabs or they might nip your toes*
Kia tūpato ki ngā wai hōhonu, kei toromi	*Be careful of the deep water or you might drown*
Kia kaha koe, he ngaru nui ēnei	*Be steadfast, these are big waves*
Kia mārō te tū, kei tōia koe ki waho	*Stand strong or you will get carried out to sea*

Kia pakari te tū, kei riro koe i ngā kukume a Hinemoana	*Stand strong or you will be dragged away by Hinemoana*
Kia kaha koe ki te whakamātau i ngā momo kaimoana katoa, he reka te hoki!	*Give all the different seafood a try, they are all delicious!*
Kia tere te kauhoe ki uta	*Swim quickly to shore*
Kia tere ake te oma, kei te whakatata mai te mako (ngaru)	*Run faster, the shark (which is in fact a wave) is getting closer*
Kia tūpato ki te ngau a Tama-nui-te-rā! (Te tīkākātanga!)	*Be careful of the sun's bite! (In other words, sunburn!)*

Action phrase (Future tense = *Ka/Ki te . . . ka . . .*)

Ka whati mai ngā ngaru, kātahi ka hoki anō ki waho	*The waves break on shore, then the water returns back out again*
Ka haere te katoa o te whānau ki tātahi i te rā nei	*The whole (extended family) is going to the beach today*
Ka rite tonu te haere a te whānau ki te moana	*We (the family) are always going to the beach*
Ki te oti i a koutou ā koutou mahi katoa, ka haere tātou ki te moana	*If you finish all your chores, we will go to the beach*
Ki te pā te wera ki a koe, me whakamaru	*If you start to get overheated, find some shade*
Ki te tūkino koe i te moana, ko koe te papa	*If you mistreat the ocean, you will pay the price*
Ki te paki te rā, ka haere tāua ki te moana kaukau ai	*If the weather improves, you and I will go for a swim in the ocean*
Ka tiaki au i ngā tamariki i te wā e kaukau ana	*I will look after our children when they are swimming*

Ki te waiho parapara ki konei, ka kino te moana mō ngā whakatipuranga	*If we leave rubbish here, the ocean will be polluted for the coming generations*
Ki te tāwhaiwhai me te hōkaikai, ka tae koe ki uta	*If you use your arms and kick your legs, you will make it to shore* (**tāwhaiwhai** – *arm action during swimming*, **hōkaikai** – *leg action during swimming*)

Action phrase (Present tense = *Kei te . . .*)

Kei te tū mataara ngā manapou	*The lifeguards are on duty*
Kei te tākaro ripiripi ngā tamariki	*The kids are playing frisbee*
Kei te kohi pipi te whānau	*The family are collecting pipi*
Kei te hanga pā onepū ngā mokopuna	*The grandchildren are building sandcastles*
Kei te tākaro kirikiti tātahi ngā tamariki	*The kids are playing beach cricket*
Kei te whati mai te ngaru, kia tūpato!	*The wave is breaking, be careful!*
Kei te hamu kai ngā karoro	*The seagulls are scrounging food*
Kei te aha koe? Kei te pāinaina au	*What are you doing? I am sunbathing*
Kei te eke ngaru a Pāora	*Paul is surfing*
Kei te ruku moana ngā pāpā	*The fathers are out diving*

Action phrase (Have/Has = *Kua*)

Kua pari te tai	*It is high tide*
Kua timu te tai	*It is low tide*
Kua huri te tai	*The tide has turned*
Kua haere ngā tamariki ki te marae o Hinemoana	*The kids have gone to the beach*

Kua tō te rā	*The sun has set*
Kua piki te kaha o te kaikōpura	*The (summer) wind has got stronger*
Kua oti ngā kūtai te huaki	*All the mussels have been opened*
Kua oti ngā ika te tuaki	*All the fish have been gutted*
Kua rāhuitia te kohi mātaitai	*A ban has been put in place on seafood collection*
Kua hoki ia ki te whare	*He/She has gone back to the house (bach)*

Action phrase (Past tense = *I*)

I kite ika au i roto i ngā ngaru	*I saw some fish in the waves*
I haere te whānau ki te hīkoi i te taha moana	*The family went for a walk on the beach*
I māngeongeo tō tinana nā te mea kāore koe i horoi i muri i te kaukau i te moana	*Your body was itchy because you didn't shower after swimming in the sea*
I haere ia ki te māngoingoi, he hiakai nō te whānau	*He/She went surfcasting because the family was hungry*
I haere rātou ki te ākau tokatoka ki te mātai pāpaka	*They (3 or more) went to the rocky shoreline to look at crabs*
I haere māua ki tātahi oma ai	*We (him/her and I) went to the beach for a jog*
I pōhutuhutu haere ngā pēpi i roto i ngā ngaru wai pāpaku	*The babies splashed around in the shallow waves*
I haere koe ki te hōtaka whakangungu manapou i te ata nei? Āe!	*Did you go to surf lifesaving training today? Yes!*

I riro tana waka whakamakoha i te hau tuku uta	*His/Her inflatable boat was swept away by the offshore wind*
I whakarongo koe ki ngā tohutohu mō te ruku moana i roto i te haumarutanga?	*Did you listen to the instructions for diving safely?*

ĒTAHI ATU RERENGA WHAI TAKE
OTHER HANDY PHRASES

Here are some words and phrases for those whānau who are into diving:

Ruku moana	*Diving*
Kirirua	*Wetsuit*
Mōwhiti	*Mask*
Ngongohā	*Snorkel*
Pātara hau	*Air bottle*
Huirapa	*Fins (Flippers)*
Tātua	*Weight belt*
Komo ringa	*Gloves*
Puraka	*Catch bag*
Hei te atatū wehe atu ai te waka moana ki te ruku moana	*The boat will leave in the early hours of the morning to go diving*
Ki te whenewhene te moana, e kore e haere ki te ruku!	*If the sea is too rough, we will not go diving!*
Ko te tūmanako kia marino te moana āpōpō	*Hopefully the sea will be calm tomorrow*
He waka moana mīharo tōna!	*He has got an awesome boat!*
I pēhea te ruku moana i te ata nei?	*How was the diving this morning?*
Kirihaunga!	*Unsuccessful!*
I wareware mātou ki ō mātou kirirua!	*We forgot to take our wetsuits!*

Kei te pakaru ngā mōwhiti ruku o Mike!	*Mike's diving mask is broken!*
I makere taku ngongohā ki raro i te toka!	*My snorkel fell under a rock!*
Me whakakī koe i ngā pātara hau mō ngā rangi whakatā	*Fill the air bottles for the weekend!*

The following list of words contains the body parts of fish and also the names of some of the species:

Unahi	*Scale*
Upoko	*Head*
Tinana	*Body*
Hiku	*Tail*
Whēkau	*Guts*
Kiko	*Meat/Flesh*
Niho	*Teeth*
Hōripi	*Fillet*
Paihau	*Wing fin*
Urutira	*Dorsal fin*
Araara	*Trevally*
Haku	*Kingfish*
Kūparu	*John Dory*
Kahawai	*Kahawai (Arripis trutta)*
Kōhere	*Young kahawai*
Tāmure	*Snapper*
Mararī	*Butterfish*
Taumaka	*Rockfish*
Pātiki	*Flounder*
Rātāhuihui	*Sunfish*
Hāpuku	*Groper*
Hiwihiwi	*Kelpfish*
Makawhiti	*Yellow-eyed mullet*
Kōpūtōtara	*Porcupine fish*
Kātaha	*Herring*
Kanae	*Grey mullet*

Aihe	*Dolphin*
Maroro	*Flying fish*
Pākurakura	*Pigfish*
Pāua	*Abalone*
Paea	*Swordfish*
Takeketonga	*Marlin*
Kāunga	*Hermit crab*
Maomao	*Sweep*
Pāpaka	*Crab*
Pātangaroa/Pātangatanga	*Starfish*
Tio	*Oyster*
Kina	*Sea egg*
Kōuraura	*Shrimp*
Kūreperepe/Tepetepe	*Jellyfish*
Kōura waitai	*Crayfish*
Kōura pāwharu	*Packhorse crayfish*
Ngū	*Squid*
Wheke	*Octopus*
Mangō	*Shark (in general)*
Tōiki	*Tiger shark*
Mangō aupounamu	*Blue shark*
Mangō taniwha	*Great white shark*
Reremai	*Basking shark*
Mangōpare	*Hammerhead shark*
Mangō-ripi	*Thresher shark*
Mako	*Mako shark*
Tohorā	*Whale (in general)*

WHAKATAUKĪ
PROVERBS

Ko au te moana, ko te moana ko au
The ocean is me, and I am the ocean
This describes Māori people's close relationship with the ocean and all its inhabitants.

Tangaroa ara rau

The sea god's hundred pathways

Both amazement at Tangaroa's power and beauty, and wariness at the danger the sea possesses, are articulated in this proverb.

Tangaroa pū-kanohi nui

The great-eyed Poseidon, who beholds all the far-spreading ocean

Have respect for the ocean, karakia to Tangaroa before you enter, adhere to conservation.

HE NGOHE-Ā-WHĀNAU
WHĀNAU ACTIVITY TO MAKE GOING TO THE BEACH A MĀORI LANGUAGE DOMAIN

NGOHE-Ā-WHĀNAU
FAMILY ACTIVITY

Whenever you are at the beach with the whānau, building a sandcastle is always on the agenda. It's a good hands-on activity to utilise te reo Māori. Here are some basic instructions (only eight) to help you speak Māori to the kids while they are doing the 'hard yards' building a majestic sandcastle!

1. Me haere ki te wāhi e āhua haukū ana te onepū, kāore hoki e tū takotako te whare ki te hangaia ki te onepū maroke!
   Go to the tidal zone where the wet sand is, your sandcastle won't stand up properly if you build it with dry sand!

2. Me whakakī haere te ipu ki te onepū.
   Fill your bucket with sand.

3. Me pēpēhi ki tō ringa, kia noho kiato ai ki te ipu.
   Push the sand down with your hand, so it is compact.

4. Tukuna he onepū anō ki roto, ka pēpēhi anō.

   Put a little more sand in and press it down again.

5. Kia tere tonu te huripoki i te ipu, kia tau tika tonu ki te papa.

   Quickly turn the bucket upside down so it sits squarely on the ground.

6. Kaua e hīkina ināianei, me paopao ngā niao me te tāmoremoretanga o te ipu, kia kore ai te onepū e piri tonu ki ngā tahataha.

   Don't lift the bucket up yet, bang on the bottom and the edges, so the sand doesn't stick to the sides.

7. Āta hīkina ake te ipu.

   Now, slowly lift the bucket.

8. Me whakanikoniko ki te poro tāwhao, ki te huru manu, ki te anga, ki te aha, ki te aha.

   Now decorate your sandcastle with driftwood, feathers, shells and so on.

Source: Hēni Jacob, *Mai i Te Kākano*, Te Wānanga o Raukawa, 2012.

8. TE PAPA TĀKARO
THE PLAYGROUND

KŌRERO WHAKATAKI
INTRODUCTION

When we first had children Scotty was already a very fluent speaker, but there's one place he had to learn a lot of new vocabulary for – the playground! He hadn't needed to know words like *tīemiemi* because he hadn't often been on a seesaw as an adult! But once you start having tamariki you suddenly go to playgrounds a lot, so you'll really need these sets of Māori words and phrases! By using these terms and words with our kids, we help them express things that mean a lot in their world.

KUPU WHAI TAKE
HANDY WORDS

Tīemiemi/Tīeke	*Seesaw*
Retireti/Tāheke	*Slide*
Tārere	*Swing*
Tūtakarau	*Jungle gym*
Porowhawhe	*Merry-go-round*
Rorohuri	*Dizzy*
Hūrorirori	*Stagger*
Kurupae	*Balance beam*
Whakatautika	*Balance*
Pouaka kirikiri	*Sandpit*
Manu tukutuku	*Kite*

Once you start having tamariki you suddenly go to playgrounds a lot, so you'll need these Māori words and phrases!

Māwhaiwhai-piki	*Climbing net*
Whare tākaro	*Playhouse*
Ara omaoma	*Jogging path*
Puna rakiraki	*Duck pond*
Ipu para	*Rubbish bin*
Wai-inu	*Water fountain*
Arapiki	*Stairs*
Arawhata	*Ladder*
Hinga	*Fall over*
Taka	*Fall off*
Takaporepore	*Roly-poly*
Porotēteke	*Handstand*
Rōau	*Railing*
Pupuri	*Hold on/Grip*
Pūngorungoru	*Soft/Spongy*
Whaiwhai	*Chase*
Tatari	*Wait*
Wātea	*Be available*
Whakawhetai	*Give thanks*
Whakapāha	*Apologise*
Patu	*Hit*

RERENGA WHAI TAKE
HANDY PHRASES
Belonging to (*Ko/Nā/Nō*)

Ko te manu tukutuku tēnei a Mere	*This is Mere's kite*
Ko te porowhawhe hou tēnei, puritia te rōau, kei taka!	*This is the new merry-go-round, hold the rail, in case you fall!*
Nā wai te rāpihi nei?	*Who does this rubbish belong to?*
Nāku te rāpihi nei! Ka whiua ki te ipu para	*This is my rubbish! It's going in the bin*
Nā wai taua kurī?	*Whose dog is that?*

Nō tātou katoa tēnei papa tākaro	*This playground belongs to all of us*
Nō wai tēnei whare tākaro ātaahua?	*Who owns this beautiful playhouse?*
Ko wai tērā tamaiti e tangi rā?	*Who is that child (just over there) crying?*
Nā taku hoa taua tamaiti tangitangi!	*That crying child is my friend's!*
Nā wai tēnei pounamu wai?	*Whose drink bottle is this?*

Description (*He*)

He tūpoupou te retireti	*The slide is steep*
He pāhekeheke te ara omaoma	*The running track is slippery*
He mākū ngā tārere	*The swings are wet*
He rawe ki a au te āhua o tō takapore	*I adore how you do your roly-poly*
He uaua te porotēteke mō te wā roa	*It's hard to do a handstand for a long time*
He tamaiti manawa kai tūtae koe, nē hā?	*You're a little daredevil, aren't you?*
He tino teitei te tihi o te māwhaiwhai-piki	*The top of the climbing net is very high*
He pūngorungoru te papa, kia kore ai ngā tamariki e whara	*The ground is soft so that the kids don't get hurt*
He taka kei te haere	*There's going to be a fall (off of something) soon*
He tino pai te whanonga ō ēnei tamariki!	*These kids are behaving so well!*

Location (*Kei hea/I hea?*)

Kei hea tō pouaka kai?	*Where's your lunchbox?*
Kei ngā tārere a Maaka	*Maaka is at the swings*
I roto koe i te whare tākaro?	*Were you in the playhouse?*

I hea koutou i te wā i hinga ai tā tātou pōtiki?	*Where were you guys (3 or more) when our youngest child fell over?*
Kei hea tō pahikara?	*Where's your bike?*
Kei hea tō pōtae mārō?	*Where's your helmet?*
Kei te puna rakiraki aku tamariki, e whāngai rakiraki ana	*My children are at the duck pond, feeding ducks*
Kei hea te tūtakarau? Arā!	*Where's the jungle gym? Over there!*
Kei te pito whakamutunga o te rārangi ngā tamariki	*The kids are at the end of the line*
Kei hea te pia patuero ringa?	*Where is the hand sanitiser?*
Kei te taha o te tīemiemi te pouaka kirikiri	*The sandpit is next to the seesaw*
Kei runga rawa koe, nē hā?	*You're up so high, aren't you?*
Kei raro nei au e tatari ana ki a koe	*I'm down here waiting for you*

Command (Should = *Me*)

Me tatari kia wātea rā anō te tārere	*You should wait until the swing is free*
Me whakawhetai atu koe ki taua kōtiro	*You should thank that girl*
Me whakapāha atu koe ki taua tama	*You should apologise to that boy*
Me āta piki i te arawhata	*You climb the ladder carefully*
Me peipei au i a koe? Ka taea rānei e koe te tārere te kōkiri?	*Should I push you? Or are you able to make the swing go yourself?*
Me piki tāua i te arawhata!	*We (you and I) should climb the ladder!*
Me whakatautika kia pai ai te hīkoi ki runga kurupae	*You need to balance to walk on the beam well*

Me āta tiaki i tō teina, he pakupaku tonu nōna	*You should look after your younger sibling (same gender), he/she is still small*
Me pēnei te whakahaere i tēnei taputapu	*This is how you use this thing*
Me pupuri i te rōau o te pōkiha rere	*You should hold on to the rail on the flying fox*
Me haere tāua ki te porowhawhe?	*Shall you and I go to the merry-go-round?*

Command (Don't = *Kaua/Kāti*)

Kaua e piki i te tāheke, me haere mā te arapiki kē	*Don't climb up the slide, go up the stairs*
Kaua e kai i te hiako!	*Don't eat the bark!*
Kaua e taka!	*Don't fall!*
Kaua e hinga!	*Don't fall over!*
Kāti te whakapōrearea i tō tuakana	*Stop annoying your big brother/sister (same gender)*
Kāti te whiu toka, ka whara ngā rakiraki	*Stop throwing stones, the ducks will get hurt*
Kaua e tū ki runga i te tūru tārere, ka whara koe!	*Stop standing on the swing seat, you'll get hurt!*
Kāti te kai horo, kei rāoa!	*Don't eat so fast in case you choke!*
Kāti te aruaru i taua tama, kei te pukukino haere ia	*Stop chasing that boy, he's getting grumpy*
Kāti te oma atu i a au e kōrero ana ki a koe	*Stop running away when I'm talking to you*

Command (Do = *Kia/E*)

Kia tūpato, kei taka koe!	*Be careful, in case you fall off!*
Kia kaha te pupuri i te rōau, e te tau!	*Hold on tight to the railing, darling!*
Kia māia, kei te pai koe!	*Be brave, you're ok!*

Kia āta haere, kei hinga anō	*Go slowly, so you don't fall over again*
Kia tūpato, he mania nō te papa nei	*Be careful, this ground is slippery*
Kia tere, me tākaro tāua!	*Hurry up, we (you and I) should play!*
Whakatūria te porowhawhe – e tū!	*Stop the merry-go-round – stop!*
E oma, me whakangungu koutou!	*Run, you guys need to train!*
E rere ki ngā rangi! Karawhiua!	*Fly up to the skies! Go for it!*
Kia tau, he raru ki uta	*Calm down, it's a little problem (not a biggie)*
E kai, kia whai kaha anō ai koe	*Have something to eat so you get some more energy*

Action phrase (Future tense = *Ka/Ki te . . . ka . . .*)

Ki te rorohuri rawa koe, ka ruaki koe	*If you get too dizzy, you'll vomit*
Ki te whakahoa koe ki taua tamaiti me te tākaro ngātahi, ka harikoa ia	*If you are friendly to that kid and play together, he/she will be happy*
Ki te tae mai te ua, ka wehe atu tātou	*If it rains, we'll (all of us) all leave*
Ka hoki mai tātou ki tēnei papa tākaro, kaua e māharahara	*We (all of us) will come back to this playground, don't worry*
Ka tipu koe, kāore e roa ka pai tō whakahaere i te pōkiha rere	*You'll grow, it won't be long before you'll be able to use the flying fox well*
Ki te kaha rawa tō pana i a ia ka taka ia	*If you push him/her too hard he/she will fall*

Ki te piki koe ki te tihi o te māwhaiwhai, ka mīharo ahau!	*If you climb to the top of the net I'll be amazed!*
Ki te kore koe e maka i te pōro ki tētahi atu, ka kore ngā tamariki e pīrangi tākaro ki a koe	*If you don't throw the ball to others, the kids won't want to play with you*
Ki te pēnā koe, ka taka koe	*If you do that, you will fall*
Ki te pai tonu ngā piropiro o te pēpi ka tākaro tonu tātou	*If the baby stays happy we will keep playing*

Action phrase (Present tense = *Kei te . . .*)

Kei te whaiwhai au i a koe	*I'm chasing you*
Kei te takaporepore koe	*You're doing a roly-poly*
Kei te rorohuri haere koe, me whakatū i te porowhawhe?	*You're getting dizzy, shall I stop the merry-go-round?*
Kei te tāwēwē koe i te tūtakarau	*You're dangling from the jungle gym*
Kei te whai whakaaro koe ki tangata kē, he mea nui tēnā	*You're thinking of other people, that's a very special thing*
Kei te tūpore koe, nē?	*You're being kind, aren't you?*
Kei te tākaro ngā tamariki	*The kids are playing*
Kei te tākaro hoki a Pāpā	*Dad is also playing*
Kei te tāhoehoe ngā rakiraki	*The ducks are swimming around*
Kei te ngenge rawa koe ināianei	*You're overtired now*
Kei te mīharo ahau ki ō pūkenga!	*I'm amazed at your skills!*

Action phrase (Have/Has = *Kua*)

Kua ako koe ki te whakarere manu tukutuku!	*You've learnt how to fly a kite!*
Te āhua nei kua tukituki kōrua ki a kōrua	*Looks like you two have crashed into each other*
Kua pau te hau?	*Have you run out of energy?*
Kua wātea ngā tārere ināianei	*The swings have become free now*
Kua whakapāha atu koe ki a ia?	*Have you apologised to him/her?*
Kua hōhā au i te tākaro i te pouaka kirikiri	*I have had enough of playing in the sandpit*
Kua rite mātou mō te wehe atu!	*We (3 or more, not you) are ready to leave!*
Kua mate au ki te piki i te pā tūwatawata, he mataku nō taku tama!	*I have to climb up the fort because my son is scared!*
Kua amuamu mai anō taua wahine mō taku tamaiti	*That woman has complained again about my kid*
Kua whakamohoutia te papa tākaro nei	*This playground has been upgraded*
Kua oma atu rātou	*They (3 or more) have run off*

Action phrase (Past tense = *I*)

I mau tō waewae, koinā te mate	*Your leg got stuck, that's the problem*
I riri ia ki a koe nā te mea i tāhae koe i tana pōro	*He/She got angry with you because you stole his/her ball*
I tino pai taua haerenga ki te papa tākaro	*That was a great trip to the playground*
I tangi ia, he pukukino nōna	*He/She cried because he/she was grumpy*
I hūrorirori koe, he rorohuri nōu	*You were staggering because you were dizzy*

I whiua ngā rāpihi ki te ipu para	*The rubbish was thrown in the bin*
I oma atu ia ki te wai-inu	*He/She ran off to the water fountain*
I pūngorungoru te papa, nā reira kāore koe i tino whara	*The ground was spongy so you didn't really get hurt*
I toa koe i te whakataetae porotēteke	*You won the handstand competition*
I whakapaipai koe i te whare tākaro?	*Did you tidy up the playhouse?*

NGĀ KŌRERO WHAKATENATENA I ĀU TAMARIKI
PHRASES TO ENCOURAGE YOUR KIDS

Ko koe kei runga!	*You're the best!*
Koia kei a koe	*You're awesome*
Tō atamai hoki	*You're so clever*
Kei te tino pakari tō tinana, nē?	*Your body is very strong, isn't it?*
Kāore koe mō te tuohu	*You never give up*
Kia kaha tonu rā	*Keep on giving it heaps*
Hurō! I tūwhitia te hopo!	*Hooray! You felt the fear and did it anyway!*
Ka nui taku manawareka ki te āhua o tā kōrua tākaro	*I'm so pleased with how you two are playing*

ĒTAHI ATU RERENGA WHAI TAKE
OTHER HANDY PHRASES

Kei a koe te wā	*Your turn*
Kāore au e mau i a koe!	*You can't catch me!*
Māku koe e āwhina	*I'll help you*
Māu ia e āwhina	*You help him/her*
Auē, kaua e whengu i tō ihu ki taku ringaringa!	*Ew yuck, don't blow your nose on my arm!*

Kei te tākaro whakataruna noa iho	*Just playing pretend*
He Hinemoana/marakihau ahau	*I'm a mermaid/mythical sea creature*
He pakoko ahau	*I'm a statue*

WHAKATAUKĪ
PROVERBS

Tama tū tama ora, tama noho tama mate
An active person will remain healthy while a lazy one will become sick

Ko te tinana te whare o te wairua
The body is the house of the spirit
A healthy body leads to a healthy mind and a healthy spirit.

E ekea ai a kōtihi, me tīmata ki tāmore
To get to the top, one must start at the bottom

HE NGOHE-Ā-WHĀNAU
WHĀNAU ACTIVITIES TO MAKE THE PLAYGROUND A MĀORI LANGUAGE DOMAIN

NGOHE-Ā-WHĀNAU TUATAHI
FAMILY ACTIVITY 1

Waiata Tatangi – Jingles

We have used jingles as a way to remember lots of words, one of our favourites being the classic hit, 'Tīemiemi'. Ok, it's a homemade classic, and it's not exactly a hit. It's just a super simple jingle we made up to help us remember the word for seesaw, and it goes like this:

Tīemiemi, tīemiemi, *Seesaw, seesaw,*

Runga, raro, runga, raro,	*Up, down, up, down,*
Runga, raro e	*Up, down we go*

Grammy Award-winning lyrics, right? Most importantly, we have never forgotten the word because we've sung it to all of the kids since they were very little, and it's something we sing at the playground. So this activity is a challenge for you to make up your own little jingles or rhymes to sing to yourselves at the playground. Borrow tunes from favourite commercials or songs, and get your Beyoncé on! In fact, we can imagine 'Tūtakarau' (*Jungle Gym*) fitting perfectly to 'Single Ladies': 'Tū-taka-rau, OH, OH, OH, OH, OH!' Or The Warehouse jingle could be your inspiration:

Te tāheke, te tāheke, ka retireti mai koe
The slide, the slide, you will slide to me

Be silly and have fun with it – you're going to the playground after all!

NGOHE-Ā-WHĀNAU TUARUA
FAMILY ACTIVITY 2

Āhuru Mōwai – Safe Haven

You can start your play time at the playground with this game as a fun way to remind everyone what the different play equipment is called in Māori. A parent or caregiver is the 'taniwha'. The kids have to try to run away from the taniwha who is coming to get them, and the only place they're safe, where the taniwha can't get them, is the āhuru mōwai or haven. The tricky thing is, the safe haven will change from one piece of playground equipment to another. So the taniwha starts chasing the kids, then (in between growling) calls the name of something in the playground, and that's where all the kids have to run to, to get to the āhuru mōwai.

Example:

'Grrr!!! TĀRERE!!!' – *The kids run to the swings and are safe from the taniwha once they're there.*

'Grrr!!! POROWHAWHE!!!' – *This time the merry-go-round is the safe haven or* **āhuru mōwai.**

'Grrrr!!! POUAKA KIRIKIRI!!!' – *Now the sandpit.*

If kids forget what the word means, the taniwha can point to the place they should be heading to. If you're not game to run roaring around a playground, you could always just whisper the word for the play equipment and have a race to get there!

9. TE WĀ ME TE TATAU
TIME AND NUMBERS

KŌRERO WHAKATAKI
INTRODUCTION

It's important to be able to discuss time with kids because, well, time exists. It's how we set our alarm clocks, it's how we organise our daily lives, it's how we understand our past and recognise our future. Time is linked to the number system, hence the reason we are going to cover both topics in this chapter. More on days, months and seasons can also be found in the following chapter (pages 164–65).

TE WĀ
TIME

Kua aha te wā? and *Kei te aha te wā?* are the two best ways to ask what the time is, however, there are two other common ways of asking this question: *He aha te wā?* and *Ko te aha te wā?* Māori follow the 12-hour clock system, so there are three general time zones: *ata* from midnight to midday, *ahiahi* from midday to dusk, and *pō* from dusk to midnight. So remember these key words:

Kua aha te wā?	*What is the time?*
Karaka	*O'clock*
Hāora	*Hour*
Meneti	*Minute*

Ata	*Morning*
Ahiahi	*Afternoon*
Pō	*Night*

It is also important to know the following terms:

Hauwhā ki ...	*Quarter to ...*
Hauwhā i ...	*Quarter past ...*
Haurua i ...	*Half past ...*
Waenganui pō	*Midnight*
Poupoutanga o te rā	*Midday*
Atatū	*Dawn*

We will show you some examples of how to use these a little later. Ok, let's look at the following list of words and phrases. You will notice they all begin with '*i*'. These words indicate past tense:

Inahea?	*When?*
Inanahi	*Yesterday*
Inatahirā	*The day before yesterday*
I tērā wiki	*Last week*
I tērā marama	*Last month*
I tērā tau	*Last year*

The equivalent of these words and phrases to indicate future tense begin with '*ā*':

Āhea?	*When?*
Āpōpō	*Tomorrow*
Ātahirā	*The day after tomorrow*
Ā tērā wiki	*Next week*
Ā tērā marama	*Next month*
Ā tērā tau	*Next year*
Ā te wā	*In due course*

And finally, the words and phrases that indicate present tense actions and time:

Ināianei	*Now*
I tēnei wā	*At this time*
I tēnei rā	*Today*

RERENGA WHAI TAKE
HANDY PHRASES
Location (*Kei hea/I hea?*)

Kei hea koe āpōpō?	*Where will you be tomorrow?*
Kei hea koe a te whitu karaka i tēnei pō?	*Where will you be at 7pm tonight?*
Kei hea tō hoa ināianei?	*Where is your friend now?*
I hea koe i muri i te kura?	*Where were you after school?*
I hea koe i te ata nei?	*Where were you this morning?*
I hea tō kaiako inanahi?	*Where was your teacher yesterday?*

Command (Should = *Me*)

Me hui tātou a te hauwhā ki te tekau	*Let's (all of us) meet at quarter to 10*
Me tūtaki tāua ā tērā wiki	*Let's (you and I) meet next week*
Me whakapai koe i tō taiwhanga moe āpōpō	*You will tidy your room tomorrow*
Me parakuihi koe ākuanei	*You should have breakfast soon*
Me wehe atu tāua a te hauwhā ki te waru	*Let's (you and I) leave at quarter to 8*
Me hoki mai koe a te poupoutanga o te rā	*Make sure you return at midday*

Command (Don't = *Kaua/Kāti*)

Kāti te whakapau huhua kore i te wā	*Stop wasting time*
Kaua e mahi i tēnā mahi ināianei	*Don't do that now*
Kaua e haere ātahirā, haere āpōpō	*Don't go the day after tomorrow, go tomorrow*
Kaua e waiho mō te ahiahi mēnā ka taea te mahi ināianei	*Don't leave it for this afternoon if you are able to do it now*

Kaua e aro ki te karaka, kāore he āwhina i reira	*Don't focus on the clock, it won't help (you)*
Kāti te kōrero mō te whā karaka, mōhio au koinā te wā tīmata o *Te Karere!*	*Stop talking about 4 o'clock, I know that's when* Te Karere *starts!*

Command (Do = *Kia/E*)

Kia tere, kua tata ki te waru karaka	*Hurry up, it's getting close to 8 o'clock*
Kia tau, ā te toru karaka rā anō ka tīmata te ngahau	*Take your time, the party doesn't start until 3 o'clock*
Kia kaha, me tae atu tāua ā te waenganui pō	*Keep going, we need to arrive at midnight*
Kia horo, me tae i mua i te tīmatanga	*Hurry up, (we) need to arrive before it starts*
Kia māia, mōu te rā āpōpō	*Be courageous, your time is coming*
Kia kaha koe, e tama, ā tērā tau katū koe hei Ō-Pango!	*Give it heaps, my boy, you'll be an All Black by next year!*

Action phrase (Future tense = *Ka/Ki te . . . ka . . .*)

Ka haere māua ki tō Hēmi ā te pō nei	*We (us two, not you) will go to Hēmi's house tonight*
Ka waiho mō āpōpō	*(We'll) leave it for tomorrow*
Ka tae mai ngā manuhiri ā tērā wiki	*The visitors arrive next week*
Ā te wā ka kite koe i te hua o āu mahi	*In due course you will see the fruits of your labour*
Ka tīmata te hui a te kura ā te ono	*The school meeting starts at 6 o'clock*
Ā te whitu karaka i te ata āpōpō, ka oma tāua	*Tomorrow morning at 7 o'clock, we (you and I) will go running*
Ākuanei tātou ka kai	*We (all of us) will eat soon*

Action phrase (Present tense = *Kei te . . .*)

Kei te haere au ināianei	*I am leaving now*
Kei te tākaro rātou i tēnei wā	*They (3 or more) are playing now*
Kei te pakanga ngā kapa i tēnei rā	*The teams are doing battle today*
Kei te tunu kai au ināianei	*I am cooking dinner now*
Kei te pōharu te papa mautī ināianei	*The lawn is all muddy now*
Kei te kaukau koe i tēnei pō? Kei te uwhiuwhi rānei?	*Are you having a bath tonight? Or a shower?*

Action phrase (Have/Has = *Kua*)

Kua aha te wā?	*What's the time?*
Kua whitu karaka	*7 o'clock*
Kua tekau karaka i te ata	*10am*
Kua toru karaka i te ahiahi	*3pm*
Kua waru karaka i te pō	*8pm*
Kua tekau meneti i te ono	*6.10*
Kua rua tekau mā whā meneti i te iwa i te pō	*9.24pm*
Kua hipa atu i te waenganui pō	*It's past midnight*
Kua kainamu ki te waru	*It's approaching 8 o'clock*
Kua iti nei te hipa i te ono karaka	*Just past 6 o'clock*
Kua hauwhā ki te tekau mā tāhi i te pō	*10.45pm*
Kua hauwhā i te tekau mā tahi i te pō	*11.15pm*
Kua haurua i te toru i te ahiahi	*3.30pm*

Action phrase (Past tense = *I*)

I tērā Rāpare	*Last Thursday*

I haere au ki tō Mere inapō	*I went to Mere's last night*
I hoko kai au māu	*I bought you some food*
I tae mai te rongo inanahi	*The news came yesterday*
I taua wā, e ranea ana te kai	*At that time, there was plenty of food*
I pai te puna reo i te rā nei?	*Was pre-school good today?*

ĒTAHI ATU RERENGA KŌRERO WHAI TAKE
OTHER HANDY PHRASES

Kei a au te wā	*It's my turn*
Nōku te rā/wā	*This is my day/time! (e.g. your wedding day, birthday, etc.)*

TE TATAU
NUMBERS AND COUNTING

Cardinal numbers used for counting are as follows:

Tahi	*One*	Tekau mā tahi	*Eleven*
Rua	*Two*	Tekau mā rua	*Twelve*
Toru	*Three*	Tekau mā toru	*Thirteen*
Whā	*Four*	Tekau mā whā	*Fourteen*
Rima	*Five*	Tekau mā rima	*Fifteen*
Ono	*Six*	Tekau mā ono	*Sixteen*
Whitu	*Seven*	Tekau mā whitu	*Seventeen*
Waru	*Eight*	Tekau mā waru	*Eighteen*
Iwa	*Nine*	Tekau mā iwa	*Nineteen*
Tekau	*Ten*	Rua tekau	*Twenty*
Rua tekau mā tahi			*Twenty-one*
Toru tekau			*Thirty*
Whā tekau			*Forty*
Rima tekau			*Fifty*
Ono tekau			*Sixty*
Whitu tekau			*Seventy*
Waru tekau			*Eighty*
Iwa tekau			*Ninety*
Kotahi rau			*One hundred*

Rua rau	*Two hundred*
Kotahi mano	*One thousand*
Kotahi miriona	*One million*

Ordinal numbers used for ranking between one and nine require the prefix *tua*:

Tuatahi	*First*
Tuarua	*Second*
Tuatoru	*Third*
I **tua**whā ia	*He/She came fourth*
Wāhanga **tua**rima	*Chapter five*
Kei te papa **tua**ono tōna whare	*His/Her apartment is on the sixth floor*

Ordinal numbers from 10 upwards require no prefix:

Tekau mā ono	*Sixteenth*
Waru tekau	*Eightieth*
Rua mano mā rima	*2005*
Rua mano, tekau mā whitu	*2017*
Kotahi mano, iwa rau, waru tekau mā rua	*1982*
Ko te tekau mā iwa o Whiringa-ā-rangi taku rā whānau	*My birthday is on the 19th of November*
Āhea tō rā whānau?	*When is your birthday?*
Ā te tuawhitu o Mahuru	*On the 7th of September*

When asking about how many items or objects there are, use *e hia*:

E hia ngā ārani?	*How many oranges are there?*
E toru ngā ārani	*There are three oranges*
E hia ōku matimati?	*How many fingers do I have?*
E rima ō matimati	*You have five fingers*

E hia ngā kurī o tēnei whare?	*How many dogs (live here) in this house?*
Tekau mā tahi	*Eleven*

When asking about how many people there are, use the prefix **toko**. When responding, only use **toko** when the number of people being spoken about is between two and nine:

Tokohia ngā tamariki kei te haere mai?	*How many children are coming?*
Tokorima	*Five*
Tokohia ō tamariki?	*How many children do you have?*
Tokotoru aku tamariki	*I have three children*
Tokohia ngā kōtiro o tēnei whānau?	*How many girls in this family?*
Tokorua	*Two*
Tokohia ngā tama i haere?	*How many boys went?*
Tekau ma whā	*Fourteeen*

When asking how many items or objects are required, use **kia hia**:

Kia hia ngā tōhi māu?	*How many pieces of toast do you want?*
Kia rua ngā tōhi māku	*I will have two pieces of toast*
Kia hia ngā inu mā koutou?	*How many drinks do you (3 or more) want?*
Kia ono ngā inu mā mātou	*We (3 or more, not you) will have six drinks*
Homai kia kotahi te tōtiti, kia rua ngā hēki	*(I will have) one sausage and two eggs*
Kia kotahi anō, ka mutu	*One more, then finish*

When indicating there is only one, **kotahi** is used, irrespective of whether it indicates people or objects.

Kotahi te rangatira	*There is only one leader*

Kotahi te whakautu	*There is only one answer*
Kotahi te māngai mō tātou	*There is only one spokesperson for us*
Kotahi te rongoā	*There is only one remedy*
Kotahi mano, iwa rau, waru tekau mā waru	*1988*

E hia te utu? and *He aha te utu?* are acceptable ways of asking for the cost or price of an item. The words *tāra* for dollars and *hēneti* for cents are commonly used in the response.

E hia te utu mō tēnei pukapuka?	*How much does this book cost?*
Tekau tāra te utu mō tēnā pukapuka	*That book costs ten dollars*
E hia te utu mō te haere ki te kiriata?	*How much to go to the movies?*
E rua tekau tāra	*Twenty dollars*
Anei ō inu, e tama mā	*Here are your drinks, boys*
Tēnā koe, **he aha te utu**?	*Thank you, how much do I owe you?*
E whitu tekau tāra, e rima tekau hēneti	*Seventy dollars and fifty cents*

WHAKATAUKĪ
PROVERBS

Whatungarongaro te tangata, toitū te whenua
As people disappear from sight, the land remains
This proverb demonstrates the holistic values of the Māori and the importance of land – the earth mother – Papatūānuku.

Ka mate te kāinga tahi, ka ora te kāinga rua
When one house falls, a second arises
The time may come when option one does not work out, so make sure you have a second option ready.

He kōtuku rerenga tahi
A white heron flies once
The time may come when something very special and unusual takes place. Treasure that moment.

HE NGOHE-Ā-WHĀNAU
WHĀNAU ACTIVITIES TO MAKE TIME AND NUMBERS A MĀORI LANGUAGE DOMAIN

....

▶ **NGOHE-Ā-WHĀNAU TUATAHI**
FAMILY ACTIVITY 1

....

Nama Taunga Waka – Car Park Numbers

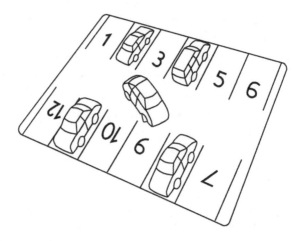

If your little toddlers like cars then this is a fun activity for them – it's easy to make too! Just take a piece of paper, draw out parking spaces with numbers and koinā! Now, say a number, your child chooses a car and then drives it into that parking spot. Here are some phrases:

Kua rite koe?	*Are you ready?*
Māu tētahi waka e kōwhiri	*You choose a car*

Ka hautū koe i te waka ki te tauranga kei reira taua nama	*Drive the car to the parking space where that number is*
Kei te whakarongo koe?	*Are you listening?*
Anei te nama	*Here is the number*
Toru	*Three*
Ka pai! He aha anō tēnā nama?	*Awesome! What was that number again?*
Toru!	*Three!*

 ## NGOHE-Ā-WHĀNAU TUARUA
FAMILY ACTIVITY 2

Wharewhare – Housie

Another fun whānau activity that provides plenty of laughs, and definitely gets the competitive juices flowing, is Wharewhare or Housie. Simply get the kids to draw up a housie board, like this:

16	1	12	14
8	25	0	22
9	30	34	5
39	27	3	19

It can have more squares or less, depending on the age group, how many players, etc. This particular one is set up for numbers between 0–40. The kids randomly choose numbers between 0–40 and write them randomly in the boxes. Then the game begins . . . in te reo Māori! The caller calls out the numbers in te reo, e.g. tekau mā tahi (*eleven*), whā (*four*), and so on. Make sure you record the numbers you have called out as you go. When a player gets a line they call out, '*He rārangi!*' They then read back the numbers in their line, in te reo Māori of course, for the caller to check. When someone has crossed off all their numbers, they call out '*He whare!*' then read back all their numbers to the caller.

....

 NGOHE-Ā-WHĀNAU TUATORU
FAMILY ACTIVITY 3

....

Te matawā o te rā – Making a sun dial

You only need a stick and some pebbles. Push the stick into the ground in your garden or backyard. Check to see where the shadow of the stick is at every hour interval. Put a pebble to indicate the time. This is a great clock activity to let children learn about how the sun moves as time passes along the day.

1. **Titia he rākau ki te papa.**
   Put a stick into the ground.
2. **Me mātakitaki tāua i te rere o te ātārangi o te rākau.**
   Let's (you and I) watch the shadow of the stick move.
3. **I a Tama-nui-te-rā e piki ana ki tōna kōmata, ka neke te ātārangi o te rākau!**
   As the sun rises to its zenith, the shadow moves!
4. **Koinei ngā hāora o te ata.**
   These are the hours of the morning.
5. **I a Tama-nui-te-rā e heke ana ki tua o pae ka neke tonu te ātārangi!**
   As the suns descends to the horizon the shadow continues to move!

6. Koinei ngā hāora o te ahiahi.

   These are the hours of the afternoon.

7. Tuhia he porohita huri noa i te rākau.

   Draw a circle around the stick.

8. Tukua he kōhatu rikiriki ki te porohita hei tohu i ngā hāora o te rā.

   Put a small pebble where each hour would be.

9. Kua aha te wā ināianei?

   What's the time now?

10. E ai ki tō matawā o te rā kua whitu karaka i te ata.

    According to your sun clock it's 7am.

11. Nā te mea, kei te nama whitu te ātārangi o te rākau.

    Because the shadow of the stick is where the 7 would be.

12. Koinei ngā tikanga whakatau wā o te ao tawhito.

    This is how they told time in the old days.

10. NGĀ HUARERE
WEATHER

KŌRERO WHAKATAKI
INTRODUCTION

Talking about the weather is not only a classic go-to conversation starter, but it also tends to affect our everyday activities. How many times in the day do we refer to the weather? 'It's too cold', 'We'll see what the weather's like', and, 'We can't go if it rains'. The weather is everywhere, it's ubiquitous, it affects everyone, and some say it even impacts on our emotional states.

KUPU WHAI TAKE
HANDY WORDS

Huarere	*Weather*
Tohu huarere	*Weather forecast*
Marino	*Calm weather*
Pūhoro	*Bad weather*
Hātai	*Mild weather*
Ua	*Rain*
Ua kōpatapata	*Spitting*
Ua tarahī	*Light drizzle*
Āwhā	*Storm*
Atiru	*Rain cloud*
Marangai	*Heavy rain*
Paki	*Fine weather*
Kapua	*Cloud*
Kōmaru	*Cloudy*
Hau	*Wind*

Talking about the weather is a classic go-to conversation starter – it is everywhere, it's ubiquitous, it affects everyone

Hauraki	*North wind*
Hautonga	*South wind*
Hauāuru	*West wind*
Hauwaho	*East wind*
Wera	*Hot*
Makariri	*Cold*
Hukapapa	*Frost*
Puaheiri	*Snow*
Uenuku	*Rainbow*
Hukātara	*Hail*
Whatitiri	*Thunder*
Uira	*Lightning*

RERENGA WHAI TAKE
HANDY PHRASES

Belonging to (*Ko/Nā/Nō*); For whom? (*Mō wai?*)

Ko Tāwhirimātea te atua o te huarere	*Tāwhirimātea is the god of the elements*
Ko Te Ihorangi te atua o te ua	*Te Ihorangi is the god of rain*
Hokia tō kāinga kia purea ai koe e te hau a Tāwhirimātea	*Return to your roots to be cleansed by the winds of Tāwhirimātea*
Ko Whēkoi te atua o te kōpaka me te puaheiri	*Whēkoi is the god of ice and snow*
Ko te ua tarahī tēnei a Te Ihorangi	*This is the misty rain of Te Ihorangi*

Description (*He*)

He wera tēnei rā	*It's hot today*
He makariri tēnei rā	*It's cold today*
He rā pai tēnei mō te mātakitaki kiriata	*It's a good day for watching movies*
He rā pai tēnei mō te kaukau	*It's a great day for a swim*

He makariri te wai?	*Is the water cold?*
He kaha te pupuhi a te hau	*The wind is blowing a gale*
He rā mākato tēnei	*This is a terrible day (bad weather)*
He rangi kāpuapua tēnei	*This is an overcast day*
He rangi pai huarere tēnei	*This is a great day (fine day)*
He taritari rawa mō te haere ki te whare kararehe	*The weather is too bad to go to the zoo*

Location (*Kei hea/I hea?*)

Kei hea ngā atiru ināianei?	*Where are the rain clouds now?*
Kei hea a Tama-nui-te-rā?	*Where is the sun?*
Kei muri te rā i ngā kapua	*The sun is behind the clouds*
Kei runga i ngā pae maunga ngā kēkēao e hui ana	*The dark clouds are gathering above the mountain ranges*
Kei hea tō ngūpara?	*Where is your raincoat?*

Command (Should = *Me*)

Me whakamaru tātou	*We (all of us) should take shelter*
Me āta haere, e mākū ana te papa!	*Go carefully, the ground is wet*
Me mau kākahu matatengi koe, he makariri a waho	*Wear some warm clothes, it's cold out*
Me whakatū te hamarara, kei mākū tāua	*Put the umbrella up, or we (you and I) will get wet*
Me tatari tāua kia mao te ua	*We (you and I) should wait until the rain stops*

Command (Don't = *Kaua/Kāti*)

Kaua e oma i te wā e ua ana, kei paheke koe	*Don't run when it's raining or you might slip over*

Kaua e titiro ki te rā, ka raru ō karu	*Don't look at the sun, it will damage your eyes*
Kaua e haere ki te ngahere, he kino te matapae huarere	*Don't go to the bush, the weather forecast is not good*
Kaua e haere, e pōrukuruku ana te rangi	*Don't go, the weather is turning bad*
Kaua e parahutihuti te haere, he āwhā āhua taikaha tēnei	*Don't go too fast, this is a pretty bad storm*

Command (Do = *Kia*)

Kia tere te oma ki te whare, kei tōpunitia e te ua	*Run quickly to the house or we will get drenched*
Kia tau te noho, kino rawa te ua mō te puta	*Might as well sit down and relax, the rain is too bad to go out*
Kia tūpato, kua tau te kōpaka	*Be careful, it's icy*
Kia hakune te haere, he mōrearea tēnei huarahi i te wā e mākū ana	*Go slowly and deliberately, this road is dangerous when it's wet*
Kia kaha te mahi i te rā e whiti ana	*Let's get into our work while the weather is good*

Action phrase (Future tense = *Ka/Ki te . . . ka . . .*)

Ka ua ākuanei	*It's going to rain soon*
Ka whiti te rā, ā taihoa nei	*The sun is going to shine soon*
Ka pai anō te huarere ā tērā wiki	*The weather will be fine again next week*
Ka paki āpōpō	*It will be fine tomorrow*
Ka kaha te pupuhi a te hau	*It is going to be windy*
Ki te whiti te rā, ka haere tātou	*If it fines up, we (all of us) will go*

Ki te ua, ka kore tātou e haere	*If it rains, then we (all of us) won't go*

Action phrase (Present tense = *Kei te . . .*)

Kei te whiti te rā	*The sun is shining*
Kei te heke te tōtā i a au	*The sweat is dripping off me*
Kei te pararā te hau	*It's extremely windy*
Kei te hōhā au ki te ua	*I am sick of the rain*
Kei te noho au ki te kāinga, he wera rawa a waho	*I'm staying home, it's too hot outside*

Action phrase (Have/Has = *Kua*)

Kua tōpunitia au e te ua	*I have been saturated by the rain*
Kua ū mai te hauwaho	*The east wind has arrived*
Kua mao te ua tarahī	*The light drizzle has stopped*
Kua tīhore te rangi	*It has fined up outside*
Kua māī te hau	*The wind has abated*

Action phrase (Past tense = *I*)

I rongo koe i te whatitiri?	*Did you hear the thunder?*
I kite koe i te uira?	*Did you see the lightning?*
I mākū koe i te marangai?	*Did you get drenched by the heavy rain?*
I te patopato te ua ki te tuanui o taku ruma	*The rain was tapping on the roof above my room*
I mīharo koe i te kaha pīataata mai o te uenuku?	*Were you amazed by the glistening rainbow?*

ĒTAHI ATU RERENGA WHAI TAKE
OTHER HANDY PHRASES

Te wera hoki, nē?	*Gee, it's really hot, isn't it?*
Āe mārika!	*Yes, it's beautiful!*
I te raumati ka marino ngā rā	*The weather is calm in summer*

Te āhua nei ka paki	*It looks like it's going to be fine*
Tatari kia mimiti te hau	*Wait until the wind drops*
Titiro ki te hukapapa!	*Look at the frost!*
I te takurua ka heke te marangai	*It rains heavily during winter*
He marangai kei te haere mai	*There is heavy rain on the way*
Kua awatea	*It is daylight/daybreak*
Kua pō	*It is night time*
Kua tō te rā	*The sun has set*
Kei te oho te rā	*It is dawn (the sun is waking up)*
Kei te tiaho te marama	*The moon is gleaming*
Kei te kōrikoriko ngā whetū	*The stars are sparkling*

Anei ngā rā o te wiki

Here are the days of the week

Rāhina	Monday	OR	Mane	Monday
Rātū	Tuesday	OR	Tūrei	Tuesday
Rāapa	Wednesday	OR	Wenerei	Wednesday
Rāpare	Thursday	OR	Tāite	Thursday
Rāmere	Friday	OR	Paraire	Friday
Rāhoroi	Saturday			
Rātapu	Sunday			

Ko te aha tēnei rā?	*What day is it?*
Rātū	*Tuesday*
Ko te Rāhina tēnei rā	*Today is Monday*
He rā ātaahua	*It's a beautiful day (fine weather)*
Ko te aha tēnei rā?	*What is the day/date today?*
Ko te Tūrei	*It's Tuesday*
He rā mokopuna	*Fine day in winter*
Āhea koe haere ai?	*When do you leave?*

Ā te Rātapu, ina pai te huarere	*On Sunday, if the weather is good*
Āhea koe hoki mai ai?	*When do you return?*
Aua, ā te Rāhoroi pea	*I don't know, maybe Saturday*

Anei ngā marama o te tau   *Here are the months of the year*

Kohitātea	*January*	OR	Hānuere	*January*
Huitanguru	*February*	OR	Pēpuere	*February*
Poutūterangi	*March*	OR	Maehe	*March*
Paengawhāwhā	*April*	OR	Āperira	*April*
Haratua	*May*	OR	Mei	*May*
Pipiri	*June*	OR	Hune	*June*
Hōngongoi	*July*	OR	Hūrae	*July*
Hereturikōkā	*August*	OR	Ākuhata	*August*
Mahuru	*September*	OR	Hepetema	*September*
Whiringa-ā-nuku	*October*	OR	Oketopa	*October*
Whiringa-ā-rangi	*November*	OR	Noema	*November*
Hakihea	*December*	OR	Tīhema	*December*

Anei ngā kaupeka o te tau   *Here are the seasons of the year*

Raumati	*Summer*
Ngahuru	*Autumn*
Hōtoke/Takurua	*Winter*
Kōanga	*Spring*

He aha te mahi pai ki a koe i te raumati?	*What do you prefer doing in summer?*
I te ngahuru, ka makere mai ngā rau i ngā rākau	*In autumn, the leaves fall from the trees*
Ka tino makariri ngā pō i te hōtoke, nē?	*The nights are very cold in winter, aren't they?*
Ia kōanga, puāwai ai ngā putiputi	*The flowers blossom every spring*

WHAKATAUKĪ
PROVERBS

Mao ana ki ua, ua ana ki mao
Sometimes it rains, sometimes the sun shines
A whakataukī that talks about the ups and downs, the good times and the bad.

He patu te ua ki runga, he ngutu wāhine ki raro
Like the rain that pelts down upon the roof, the lips of women move below
This is used to compare the way the rain falls with the way women gossip. The sound of the clatter of the rain on the roof is similar to the chatter of the women.

He iti hau marangai e tū te pāhokahoka
Just like a rainbow after the storm, success follows failure and good times are on the way

HE NGOHE-Ā-WHĀNAU
WHĀNAU ACTIVITIES TO MAKE WEATHER ACTIVITIES A MĀORI LANGUAGE DOMAIN

NGOHE-Ā-WHĀNAU TUATAHI
FAMILY ACTIVITY 1

Āhuatanga Huarere – Weather Mobile
Weather mobiles are pretty easy to make and contain lots of learning opportunities. You'll need some:

Pepa toi	*Art paper*
Peita, pene whītau rānei	*Paint or felt pens*
Kutikuti	*Scissors*
Aho	*String*
Hāpiapia	*Tape*
Manga rākau	*Small branch*

First of all, go out with the kids and have a bit of a walk around looking for appropriate manga rākau. They need to be reasonably strong and have a few offshoots or kāpeka so you can hang your various weather symbols from them. While you are out, talk about the weather you see – use some of the vocabulary and phrases in this chapter to help you.

He pēhea te āhua o te huarere i tēnei rā	*What's the weather like today?*
He makariri?	*Is it cold?*
He paki?	*Is it fine?*
He mahana?	*Is it warm?*
Kei te pupuhi te hau?	*Is the wind blowing?*
He hau angiangi, nē?	*It's a gentle breeze, isn't it?*
Ko tēhea kaupeka o te tau tēnei?	*What season is it?*

Ok, it's now time to draw some weather symbols on your art paper using your paints or felt pens, for example, you could say to the kids:

1.	**Tuhia he uenuku**	*Draw/Paint a rainbow*
2.	**Ka pai, ināianei tuhia he atiru**	*Great, now draw/paint a raincloud*
3.	**Tuhia he pata ua**	*Draw/Paint some raindrops*
4.	**Tuhia te uira**	*Draw/Paint lightning*
5.	**Tuhia te rā . . . (te aha, te aha)**	*Draw/Paint the sun . . . (etc.)*

If you are using paint, give it a bit of time to dry – 'Waiho kia maroke, nē?' (*Let's leave it to dry, ok?*)

Now, get the kids to 'Kapohia ake ngā kutikuti' (*Pick up the scissors*) and 'Tapahia ngā āhuatanga huarere' (*Cut out the weather symbols*). If you're game enough, explain the rest of the process to your kids in Māori. Go on, karawhiua!

1. Whakamahia te hāpiapia ki te whakapiri i te aho ki te tuarā o ia āhuatanga huarere.
   Now, tape a piece of string to the back of each symbol.
2. Herea tērā atu pito o te aho ki ngā kāpeka o te rākau.
   Tie the weather symbols onto different places on the branch.
3. Āhaha, pāia! Kua oti he iringa āhuatanga huarere.
   Awesome! You've created a weather mobile.

▶ **NGOHE-Ā-WHĀNAU TUARUA**
FAMILY ACTIVITY 2

Koeko Paina – Pine Cones

Observing pine cones is a fun way for children to start to think about the future and what the weather will be doing. When the weather is dry, the pine cones open up, and when it's going to rain they close down. Set some pine cones up on the deck, or on a shelf outside, and watch the magic!

Me whakarārangi koeko paina ki runga nei

Let's line up some pine cones on here

Ki te whiti te rā āpōpo, ka puare ngā raupua o te koeko paina	*If the sun is going to shine tomorrow, the petals of the pine cone will open*
Ki te ua āpōpō, ka kati haere ngā raupua	*If it's going to rain tomorrow, the petals will close up*
Kia mātakitaki tāua, nē?	*Let's observe, ok?*
Me haere tāua ki te titiro e aha ana ngā raupua o te koeko paina	*Let's go and see what the petals of the pine cone are doing*
Titiro, kei te tuwhera!	*Look, they are open!*
Titiro, kei te kati!	*Look they are closed!*
He tohu tērā o te aha?	*What is that a sign of?* (ua [rain], paki [sunny])

He whakamārama – An explanation

Mā te koriretanga o te hau takiwā e tohu mēnā ka tuwhera, ka kati ngā raupua o te koeko paina.

Pine cones open and close depending on the humidity.

Ko tā te koriretanga, he āwhina i te koeko paina ki te tohatoha i ōna kākano.

The humidity helps the pine cone to disperse the seeds it has.

Nō reira, ina paki, mahana hoki te rā, ka tuwhera ngā raupua o te koeko paina kia rere ai ngā kākano.

So when the weather is dry and warm, the pine cone opens up, and any wind will catch the seeds and disperse them.

Ina mākū, makariri hoki te rā, ka kati te koeko paina i ōna raupua.

If the weather is wet and cold, the pine cone closes up.

....

 NGOHE-Ā-WHĀNAU TUATORU
FAMILY ACTIVITY 3

....

Maramataka Takurua – Winter Calendar

1. Kōrero ki tō tamaiti mō te takurua. Kōrero mō ngā
   āhuatanga huarere ka hua ake i te wā o te takurua.
   Discuss the season of winter with your child. Discuss
   what types of weather might be seen and felt during this
   season.

2. Āwhinatia tō tamaiti ki te hanga kauwhata ki runga pepa,
   kāri rānei. Kia āhua nui ngā pouaka kia uru ai he pikitia,
   he nama rānei ki roto.
   Help your child create a grid graph on paper or card.
   Make sure that each cell is large enough for a picture or a
   number to fit in.

3. Tuhia ngā rā o te marama ki ia pouaka.
   Write the dates of each day of the month in each box.

4. Ia rā, tuhi pikitia ai tō tamaiti ki roto i te pouaka, arā, he
   pata ua, he rā e whiti ana, te hau e pupuhi ana, te kōpaka
   ki te papa, te hukapapa, te makariri, te wera.
   Each day encourage your child to draw the weather in
   the appropriate box on the calendar, e.g. raindrops, the
   sun shining, the wind blowing, ice on the ground, frost, the
   cold, the heat.

Kei te pēhea te huarere i tēnei rā?	*How is the weather today?*
Kei te ua	*It's raining*
Kei te whiti te rā	*It's fine*
Kei te pupuhi te hau	*It's windy*
Kei te papa te kōpaka	*There is ice on the ground*
Kei te hora te hukapapa	*It's frosty*
Kei te makariri	*It's cold*
Kei te wera	*It's hot*

11. NGĀ HĀKINAKINA
SPORTS

KŌRERO WHAKATAKI
INTRODUCTION

Using te reo Māori during sporting pursuits has some definite advantages . . . even the All Blacks have lineout calls and backline moves in te reo Māori so the opposition doesn't know what's happening! Many whānau participate in sports and, for some, it's their passion. One of the best ways to introduce te reo Māori and the values it provides into your family environment is to use it during an activity that the whānau is passionate about, such as sports!

KUPU WHAI TAKE
HANDY WORDS

Pūmua	*Protein*
Ngākau kawa	*Bad attitude*
Ngākau reka	*Good attitude*
Ngākau whakapuke	*Enthusiasm*
Whakangungu	*To train*
Kori tinana	*To exercise*
Matiti	*Stretch*
Koiri	*Limber up/Warm up*
Whakamakaka	*Warm down*
Hikituri	*Lift the knees*
Turitike	*High knee lift*

Even the All Blacks have lineout calls and backline moves in te reo Māori so the opposition doesn't know what's happening!

Tuoma tere	*Run quickly on the spot*
Tuoma toitoi	*Jog on the spot*
Tūhurihuri	*Turn on the spot*
Makawae	*Flick kick*
Hītoko	*Jump on one foot*
Mauī	*Left*
Matau/Katau	*Right*
Omamao	*Long-distance run*
Oma taumano	*Marathon*
Waetea taumano	*Marathon runner*
Oma taitua	*Middle-distance run*
Waetea taitua	*Middle-distance runner*
Wae tauārai	*Steeplechaser*
Oma tauārai	*Steeplechase*
Kōpere	*Sprint*
Wae kōpere	*Sprinter*
Tānga	*Relay*
Tauoma tānga	*Relay race*
Tūāoma	*Leg (of race)*
Matire	*Baton*
Tāepa	*Hurdle*
Waepeke tāepa	*Hurdler*
Kotahi rau mita	*100 metres*
Rua rau mita	*200 metres*
Whā rau mita	*400 metres*
Waru rau mita	*800 metres*
Kaipara	*Athlete/Athletics*
Kaipara ngahuru	*Decathlete*
Hākina ngahuru	*Decathlon*
Kaipara whitu	*Heptathlete*
Hākina whitu	*Heptathlon*
Kaipara rima	*Pentathlete*
Hākina rima	*Pentathlon*
Tūpeke	*High jump*
Kaitūpeke	*High jumper*

Rērere	*Long jump*
Kairērere	*Long jumper*
Peke tōtoru	*Triple jump*
Poroāwhio	*Discus*
Kurutai	*Hammer*
Kōtaha kurutai	*Hammer throw*
Kaikōtaha	*Hammer thrower*
Panga matā	*Shot put*
Hōreke	*Javelin*
Kaihōreke	*Javelin thrower*
Tūtoko	*Pole vault*
Kaitūtoko	*Pole vaulter*
Hēhē/Tīmata hori	*False start*
Tūāpapa	*Dais*
Tohutoa	*Medal*
Whakatāhei tohutoa	*Medal ceremony*
Toa mātāmuri	*Bronze medallist*
Toa mātāwaenga	*Silver medallist*
Toa mātāmua	*Gold medallist*
Pūkeke	*Determination*
Pūnoke	*Perseverance*
Kaha	*Drive (urge)*
Tutukai	*Toss the coin*
Tākaro	*Game/Match*
Kaihautū	*Captain*
Kaitākaro	*Player*
Kaiwhakaako	*Coach*
Nohoanga kaiwhakaako	*Coaches' box*
Kaiwawao	*Referee*
Karumātaki	*Spectator*
Hoariri	*Opposition/Opponent*
Autaua	*Commentator*
Pōro	*Ball*
Hāmene/Tautuku	*Penalty*
Piro/Eke panuku	*Goal/Try*

Kaho	*Crossbar*
Poutata	*Near post*
Poumao	*Far post*
Poukoko	*Corner flag*
Tatau/Tapeke	*Score*
Papa tātai/Papa tapeke	*Scoreboard*
Mahere tākaro	*Game plan*
Whana	*Kick*
Maka	*Pass*
Rutu	*Tackle*
Tairutu	*Dangerous tackle*
Rutu tōmuri	*Late tackle*
Porokakī/Rutu māhunga	*Head-high tackle*
Rutu kōpeo	*Spear tackle*
Whakateka	*Flying tackle*
Rutu kātete	*Low tackle*
Ringa mārō	*Stiff arm*
Haupārua	*Draw*
Tuku mātātahi	*Tiebreaker*
Toa	*Win/Winner*
Toanga	*Victory*
Mārurenga	*Loser*
Hinga	*Lose*
Taupua whara	*Time out for injury*
Wā whara	*Injury time*
Taupua	*Time out*
Whakangā	*Bye*
Ringarapa	*Amateur*
Utukore	*Amateur*
Ringarehe	*Professional*
Ngaio	*Professional*
Whakapuru waha	*Mouthguard*
Parekiri	*Padding*
Paretā	*Shin pad*
Maihao	*Sprig*

Karapitipiti	*Grandstand*
Taputapu hākinakina	*Sports equipment*
Whiringa taumātakitahi	*Preliminary round*
Whiringa uru	*Qualifying round*
Whiringa whānui	*Quarter-final*
Whiringa whāiti	*Semi-final*
Whiringa toa	*Final*

RERENGA WHAI TAKE
HANDY PHRASES

Belonging to (*Ko/Nā/Nō*); For whom? (*Mō wai?*)

Nōku tēnā poraka kōwhai me te pango	*That's my yellow and black jersey*
Ko ia te hoariri o Mātene i tēnei rā	*He/She is Mātene's opposition today*
Ko te kahurangi te tae o tō mātou kapa	*Blue is the colour of our team*
Mō wai te kākahu nama tahi?	*Who is the number 1 jersey for?*
Nā Hārata te whana tuatahi kia tīmata ai te tākaro	*Hārata kicked off to start the game*

Description (*He*)

He tino tere koe ki te oma	*You are a very fast runner*
He tino rakaraka koe	*You are very dexterous*
He tohunga ia ki te tākaro tēnehi	*He is an expert tennis player*
He ringa mākohakoha ōu ki te hopu pōro	*You've got the best hands in the business (for catching the ball)*
He tama tāroaroa koe, whakamahia!	*You're very tall, use it!*
He tākaro māngonge te whutupōro	*Rugby is a tough game*

Location (*Kei hea/I hea?*)

Kei hea te topatahi e tū ana?	*Where does the first-five stand?*
Kei hea te papa tātai?	*Where is the scoreboard?*
I runga aku kahu tākaro i te tūraparapa	*My sports uniform was on the trampoline*
Kei hea ngā papa tēnehi?	*Where are the tennis courts?*
Kei hea tō tākaro i tēnei ata?	*Where is your game this morning?*

Command (Should = *Me*)

Me raka te wae maui, me raka te wae katau	*You need to be able to kick with both feet*
Me takatū ō ringaringa, kia mōhio ai tō hoa me maka ki hea	*Have your hands up and ready, so your teammate knows where to pass to*
Me wheta koe i te wā e tawhiti tonu ana koe i te kairutu	*You should sidestep when you are still some distance from the tackler*
Me whakawhiti te pōro i tētahi ringa ki tētahi, kia wātea ai koe ki te karo	*You must switch the ball from one hand so you are able to fend*
Me kōrero koe ki te kaiwawao	*Make sure you tell the referee*

Command (Don't = *Kaua/Kāti*)

Kaua e rutu, me pā noa iho	*Don't tackle, it's only touch (rugby)*
Kaua e titiro mai ki a au, me oma!	*Don't look at me, run!*
Kaua e tukua kia hipa i a koe!	*Don't let him/her/them get past you*
Kaua e mate wheke!	*Don't give up so easily*
Kaua e riri. Kia ū, kia tau, mā reira e toa ai	*Don't get angry. Stay focused, stay calm and you'll win*

Kāti te whakahīhī! Mā te whakawaiwai anake e mau ai!	*Don't be such a fathead! Only by practising will you get it!*

Command (Do = *Kia*)

Kia tūpato kei panaia koe i te papa tākaro	*Be careful or you'll get sent off*
Kia manawanui! Ka eke panuku koe!	*Be patient! It will come! (You will succeed)*
Kia kaha te whakarongo, kia mārama koe	*Listen up, so you know what's going on*
Kia ū te whakapono, kia māia te whai!	*Believe and achieve!*
Kia kaha te kai pūmua kia pakari ai tō tinana!	*Eat lots of protein so you get stronger!*

Action phrase (Future tense = *Ka/Ki te . . . ka . . .*)

Ki te riro i a koe te pōro, kia kaha te oma	*If you get the ball, run hard*
Ki te whakatata te hoariri ki a koe, me karo	*If the opposition comes close, fend them off*
Ki te raru koe, whiua te pōro ki tētahi o ō hoa	*If you get in trouble, pass the ball to a teammate*
Ki te pā te ringa o te hoariri ki a koe, e tū	*If the opposition touches you, stop (touch rugby)*
Ka perori koe i te pōro ki raro i ō waewae	*You roll the ball under your legs*
Ka mau ia i a koe, whāia!	*You will catch him, chase him!*

Action phrase (Present tense = *Kei te . . .*)

Kei te pai tō waewae?	*Is your leg ok?*
Kei te kimi āputa ia	*He/She is looking for a gap*
Kei te tino pakari tā rātou rārangi ārai	*Their defence line is very strong*
Kei te āmaimai koe?	*Are you nervous?*

Kei te wātea a Kurawaka, makaia ki a ia	*Kurawaka is in the clear, pass it to her*
Kei te whakatata atu ia hei kaitautoko	*He/She is sticking close by as support*

Action phrase (Have/Has = *Kua*)

Kua tākaro koutou ki a rātou?	*Have you (3 or more) played them before?*
Kua taka i a ia	*He/She has dropped it*
Kua huri te tai	*The tide has turned*
Kua tata rātou ki te paepiro, engari auare ake!	*They (3 or more) have got close to the try line, but to no avail*
Kua kino ngā piropiro o te kaiako	*The coach's mood has taken a turn for the worse*

Action phrase (Past tense = *I*)

I taki haere rātou ki te rūrū ringa	*They (3 or more) went (as one) to shake hands*
I hinga, engari ko te pārekareka tahi te mea nui	*He/She/They lost, but having fun together is the main thing*
I taka i a ia te pōro?	*Did he/she drop the ball?*
I hoko aihikirīmi mā rātou hei patu i te kawa o te hingatanga	*I bought ice creams for them (3 or more) to help them get over the loss*
I haukuru ia i te pōro ki tua o tāwauwau!	*He smashed the ball into oblivion!*

ĒTAHI ATU RERENGA WHAI TAKE
OTHER HANDY PHRASES

Kia tika te pupuri i te kakau o te rākau	*Hold the handle of the club correctly*
Kia pēnei ō ringaringa	*Position your hands like this*
Kia hāngai, kia ū tō titiro ki te pōro	*Keep your eyes on the ball*

Māku e panga, māu e patu	*I'll pitch/bowl, you hit it!*
E haere atu nei te pōro	*The ball is on the way*
Ko wai i toa?	*Who won?*
He aha te tatau whakamutunga?	*What was the final score?*
Ko wai i tino pūrero ake?	*Who was outstanding?*
Ko wai i tino kōrekoreko mai?	*Who were the star players (on the day)?*
Nōnahea te tākaro i tīmata ai?	*When did the match start?*
I pēhea te mahi a Rēweti?	*How did Rēweti play?*
E rua āna piro	*He got two goals/tries*
I pēhea te mahi a ērā atu kaitākaro?	*How did the other players perform?*
Te mutunga kē mai o te koretake!	*Absolutely hopeless!*
Te mutunga kē mai o te pai!	*Absolutely brilliant!*
Ko wai te kaihautū i tō rātou kapa?	*Who is the captain of their team?*
I hē pea te mahere rautaki a te kaiwhakaako	*Perhaps the coach had the wrong game plan*
Kāore rātou i makamaka i te pōro	*They didn't pass the ball around*
Te āhua nei, he whana i te pōro tā rātou mahere	*It was as if their plan was to kick it*
He pakari te hoariri ki te ruturutu	*The opposition were strong defenders*
Mamae pai tō tātou kapa i a rātou	*Our (all of us) team got bashed around by them*
He aha kē te mate o tō tātou kapa?	*What on earth is wrong with our team?*
He ngoikore nō te hauora!	*They are unfit!*
He ninipa hoki!	*They are unskilled and awkward!*
Ka patua tō kapa e tōku!	*My team will beat yours!*

E kī!	*Yeah right!*
Āraihia atu kia kore ai e piro	*Stop them from scoring*
Me maka ki te taha, ki muri rānei, kaua ki mua	*Pass to the side or behind, not forward*
Koia te hua o te mahi tahi	*That's the benefit of working together*
E toru ngā karanga ki a _____	*Three cheers for _____ (name of opposition).*
Anā hī	*Hip, Hip, Hooray!*
Anā hī	
Anā hī, ha!	

WHAKATAUKĪ
PROVERBS

E kore e mau i a koe, he wae kai pakiaka
You will not catch the feet accustomed to running among roots

Waewae taumaha, kiri mākū
Heavy feet, bloodied skin
If you are heavy footed or slow on your feet, you will get hit or caught, so be agile and quick!

Iti te matakahi, hinga te tōtara
The wedge may be small, but it drops the mighty tōtara

HE NGOHE-Ā-WHĀNAU
WHĀNAU ACTIVITY TO MAKE SPORTING ACTIVITIES A MĀORI LANGUAGE DOMAIN

▶ **NGOHE-Ā-WHĀNAU**
FAMILY ACTIVITY

You've already been exposed to quite a few general sporting terms at the beginning of this chapter. Some of those were especially relevant to athletics. The challenge is, the next time you and the whānau go out to play your favourite sport, try and use some of the phrases and terms in this chapter. So let's get into some more specific sports and the terminology you will need. Here are our two most popular winter sports: rugby for the boys and netball for the girls.

Whutupōro	*Rugby*
Kapa Ō-Pango	*All Blacks*
Hau Āwhiowhio	*Hurricanes*
Kahurangi	*Blues*
Rangatira	*Chiefs*
Whatumoana	*Crusaders*
Kahupeka	*Highlanders*
Whakareke huataki/Tīmata	*Kick off/Start*
Whakamatuatanga	*Halftime*
Whakamutunga	*Finish/End*
Whana	*Kick*
Urumaranga	*Drop goal*
Whana taka	*Drop kick*
Whana kōkiri	*Drop out*
Whana ripi	*Grubber kick*
Whana korowhiti	*Overhead kick*
Whana whakatau	*Tap kick*
Whana tū-ā-nuku	*Place kick*
Whana teitei/Tīkoke	*Bomb*
Whana aweawe	*Chip kick*
Whakareke	*Mark*
Whana tāpiri/Whana whakaū	*Conversion*
Whana hāmene	*Penalty kick*
Paneke tautuku	*Penalty try*
Poutū	*Goal post*
Pātoi	*Draw/Entice in*
Maka māminga	*Dummy*
Whakamāhunga	*Dummy run*
Tīmori	*Decoy*

Hōkaikai	*Goose step*
Perori	*Swerve*
Taka mā muri	*Double around*
Tirikohu whakamua	*Dive forward*
Taka whakamua	*Knock on*
Taka whakamuri	*Knock back*
Maka whakamua	*Forward pass*
Pae taha	*Sideline*
Pae kaneke	*Advantage line*
Poimate	*Dead ball*
Pae poimate	*Dead ball line*
Rohe poimate	*Dead ball area*
Kōtui	*Binding*
Taupuru	*Scrum*
Takahuri	*Screw scrum*
Taupuru hinga	*Collapsed scrum*
Paneke taiari	*Pushover try*
Āpititū	*Lineout*
Āpititū poto	*Short lineout*
Hōkari	*Ruck*
Kaunuku	*Maul*
Tororua	*Double movement*
Pae hūtoto	*Blood bin*
Pae hara	*Sin bin*
Poumuri	*Back*
Poumua	*Forward*
Rangapū poumua	*Forwards*
Rangapū poumuri	*Backs*
Pou tuki waho	*Loosehead prop*
Pou tuki roto	*Tighthead prop*
Waekape	*Hooker*
Kaiwhītiki	*Lock*
Poutaha takiraha	*Openside flanker*
Poutaha kūiti	*Blindside flanker*
Pouwaru	*Number 8*

Poutoko	*Halfback*
Topatahi	*First five-eighth*
Toparua	*Second five-eighth*
Topapū	*Centre*
Paihau mauī	*Left wing*
Paihau matau	*Right wing*
Haika	*Fullback*
Kaiwhakahirihiri	*Reserve*
Kia kaha Kapa Ō-Pango!	*Go All Blacks!*
Kia kaha ngā Kahupeka!	*Give it heaps Highlanders!*
Mā mua a muri e tika ai	*The forwards lay the platform for the backs*
Waiho i te toipoto, kaua i te toiroa	*Keep it tight, don't play loose*
He mea nui kia whakawhiti i te pae kaneke	*It is very important to cross the advantage line*
He mea nui hoki te kaupare hoariri me te rutu	*Defence and tackling is also hugely important*
Me whakatū pā tūwatawata kia kore ai a pae kaneke e whakaekea!	*Build an impregnable fortress so the advantage line is never crossed!*
E mea ana rātou ka kōhuru rātou i a tātou	*They are saying they will murder us*
Tukua mai kia eke ki te paepae poto a Hou	*Let them cross the threshold to their doom*
He toki tērā topatahi ki te mahi urumaranga	*That first five-eighth is awesome at drop goals*
Ko tēnei whakawai, kia pai ai te pātoi me te maka	*This training drill is to improve draw and pass techniques*
Nā te whana ripi a Hēmi i whai piro ai a Tame	*Hēmi's grubber kick set up Tom's try*
Me pakari tō hanga mō te tūranga pou tuki	*You need to be very strongly built to play prop*

Ki te angitu tēnei whana whakaū, ka toa rātou	*If this conversion goes over, they will win*
Taukuri e! I tuki ki te kaho!	*Oh no! It hit the crossbar!*
Ko tāu mahi he kukume i te hoariri ki a koe, kia wātea ai te ara ki ō hoa	*Your job is to attract the opposition to you, so the space opens up for your teammates*
Me whakapiri atu ki te kaikawe pōro	*Stick close to the ball carrier*
Kei te māhurehuretia tō tātou rangapū poumuri	*Our backline is getting cut to pieces*
Kei te hopuni rātou ki tō tātou rohe	*They are camping out in our half of the field*
Kei te hāmene te kaiwawao i ō tātou poumua mō te hē o te kōtui i ngā taupuru!	*The referee keeps penalising our forwards for incorrect binding in the scrums!*
I ahatia?	*What happened?*
Kei te whakangā a Waikite ā tērā wiki	*Waikite has the bye next week*
Kei reira!	*He's in!*
Tē aro i a ia	*He has got no idea*

Poitarawhiti	***Netball***
Pari tākaro	*Bib*
Tūpana	*Bounce*
Maka tūpana	*Bounce pass*
Maka uri/Maka poto	*Short pass*
Maka whiwhi	*Free pass*
Maka paetaha	*Throw in*
Maka whiu/Maka hāmene/ Maka tautuku	*Penalty pass*
Tītere tautuku	*Penalty shot*
Maka poho	*Chest pass*
Hopurua	*Replayed ball*
Tauhone	*Throw up/Toss up*

Huripi	*Pass off (Start off)*
Paihau pare	*Wing defence*
Paihau tuki	*Wing attack*
Pou pare	*Goalkeep*
Maru ūhanga	*Goal defence*
Pou tuki	*Goal attack*
Ringa tītere	*Goal shoot*
Tukuahi/Topapū	*Centre*
Pūtahi	*Centre circle*
Waenga	*Centre line*
Puku	*Centre third*
Tawhā tītere	*Goal third*
Rohe tītere/Rohekeo	*Goal circle/Shooting circle*
Papa tākaro	*Court*
Paetaha	*Line*
Hapa pokere noa	*Intentional foul*
Pā tinana	*Contact*
Hōtaetae	*Obstruction*
Tīmori	*Decoy runner*
Pae whakahirihiri	*Interchange bench*
Kei te rere tāwhana ia	*She is running a curve*
Me punga tētahi waewae, ka takahurihuri ai	*One leg remains planted and then you pivot*
Ka tīmata anō i te maka pūtahi	*Play restarts with a centre circle pass*
Kaua e tū tekoteko noa, me hikohiko i ngā wā katoa	*Don't just stand in one place, move continuously*
Me maka ki mokowā kia whai hua ai	*Pass into space and reap the rewards*
He toki tō rātou ringa tītere, nō reira kia rua ngā kaiārai i a ia, nē?	*Their shooter is excellent, so we are going to put two defenders on her, ok?*
He rawe ia ki te maka māminga	*She is excellent at feigning a pass*

Ki te hāmenetia tātou, ka whai maka whiwhi rātou
If we get penalised, they will get a free pass

Ka tau koe ki te papa, me punga tētahi waewae, ka takahuruhuri ai ki te maka
When you land, one foot must be planted as you look to pass

Ka whātoro atu a ia mō te pōro, engari i hihipa, ka hinga
She lunged for the ball, but missed and fell

E whai ana rātou i te kura horahora
They are using a man-on-man defence strategy

Kei te tūngutu-ā-rohe rātou
They are playing a zone defence

Kei roto kē ia i te toru putu, me hāmene i a ia mō te hōtaetae
She's within three feet, she should be penalised for obstruction

Kaua e wehe atu i tō rohe tākaro, nē?
Don't move out of your zone, will you?

He aha i kore ai?
Why not?

Kei hāmenetia koe!
In case you get penalised!

Me maka runga māhunga kia rere tawhiti ai
Throw an overhead pass for distance

I te wā o te maka hāmene, me tū koe i te taha o tō hoariri
During a penalty pass, you must stand beside the opponent

He tauhone kei te haere
Looks like that will be a toss up

Anei, anei!
Pass it to me!/Here, here!

He manu pīrere noa iho ia
She is a rookie

He ihu hūpē rātou
They (3 or more) are very inexperienced

12. NGĀ MĀUIUITANGA, TŪNGA
AILMENTS AND INJURIES

KŌRERO WHAKATAKI
INTRODUCTION

One thing that's almost guaranteed is that, sooner or later, kids will get sick or will injure themselves. To maintain the value and relevance of te reo Māori, it's important to give them an extensive vocabulary to use. Just saying, 'Kua whara taku waewae' (*I have injured my leg*) doesn't cut it for children who are at school age. They need to be able to articulate themselves more accurately: they need to know the words for twist, sprain, tear, dislocate, graze, bruised, etc.

Our experience bringing children up in te reo Māori has shown us that if our kids are not exposed to the breadth and depth of vocabulary available to them, they will eventually default to speaking English. This is because they get to a point where they realise their friend is saying, 'I have twisted my ankle' in English, and yet they are saying, 'Kua whara taku waewae', that is, '*I have injured my leg*', in te reo Māori. It's too general, and our kids quickly realise they can articulate themselves better in English than in Māori! Auē! Be careful of this happening, e hoa mā – it could be a huge task to turn them back to te reo Māori again.

If our kids are not exposed to the breadth and depth of vocabulary available to them, they will eventually default to speaking English

NGĀ MĀUIUITANGA
AILMENTS

KUPU WHAI TAKE
HANDY WORDS

Whiu upoko/Upoko ānini	Headache
Kirikā	Fever
Rongoā	Medicine
Mate tikotiko/Torohī	Diarrhoea
Tākaikai/Piriora	Band aid/Plaster
Takai	Bandage
Ruaki	Vomit
Niho tunga	Toothache
Ngau puku	Stomach ache
Mate karawaka	Measles
Koroputaputa	Chickenpox
Mate kōroke	Constipated
Maremare	Cough
Ihu hūpē	Runny nose
Atarua	Blurred vision
Manauhea	Weak/Ill health
Pōātinitini	Dizzy
Tākuta	Doctor
Tūroro	Patient
Ero	Pus
Mariao	Pimple
Mahu	Healed
Pāpaka	Scab
Pupuhi	Swollen
Hārau	Graze
Pirau	Infected
Mangeo	Itchy

RERENGA WHAI TAKE
HANDY PHRASES
Belonging to (*Ko/Nā/Nō*); For whom? (*Mō wai?*)

Ko ngā rongoā ērā o Koro	*Those medicines (over there) are Koro's*
Ko te karawaka pea tō mate	*Maybe you have measles*
Ko te kuku tōna mate	*He/She is suffering from colic*
Ko te koroputaputa pea?	*Maybe it's chickenpox?*
Ko te rewharewha pea	*It looks like the flu*
Mō wai te rongoā maremare nei?	*Who is this cough medicine for?*
Mōku	*For me*
Mō taku tama/taku kōtiro	*For my son/daughter*
Nō wai tēnei rongoā korokoro mamae?	*Who does this throat remedy belong to?*
Nō Mere	*It's Mere's*

Description (*He*)

He aha te mate?	*What's wrong?*
He mate tōku	*I am sick*
He kirieke kei ō kūhā	*You have a rash in your groin*
He mate niho tunga tōku	*I have a toothache*
He teitei rawa tō pēhanga toto	*Your blood pressure is too high*
He kino tō kirikā	*You have a bad fever*

Location (*Kei hea/I hea?*)

Kei hea te whare rongoā?	*Where is the chemist?*
Kei roto ngā rongoā i te whata o te kauranga	*The medicines are in the cupboard in the bathroom*
I roto te mahi a ngā kutu i ōna makawe	*His/Her hair was teeming with lice*
Kei hea ngā piriora?	*Where are the plasters?*
I hea te kete ohotata?	*Where was the first aid kit?*

Command (Should = *Me*)

Me haere ki te tākuta	*Better go to the doctor*
Me whakatā koe ināianei	*Get some rest now*
Me moe koe ināianei	*Get some sleep now*
Me kai koe i tō rongoā	*You must take your medicine*
Me āmiki ō kōrero ki te tākuta	*Make sure you tell the doctor everything*

Command (Don't = *Kaua/Kāti*)

Kaua e arokore ki ngā tohutohu a te tākuta	*Don't ignore the doctor's instructions*
Kaua e wareware ki te kai i ō rongoā	*Don't forget to take your medicine*
Kaua e oho moata, me moe roa	*Don't wake up early, sleep in*
Kāti te tonotono	*Stop being so bossy*
Kaua e maha rawa ngā paraikete, kei wera rawa koe	*Not too many blankets or you will overheat*

Command (Do = *Kia*)

Kia tūpato kei pā tōna māuiui ki a koe	*Be careful or you'll get the same thing (sickness) he/she has*
Kia tūpato kei maringi te rongoā	*Be careful or you will spill the medicine*
Kia tūpato, kei te horapa haere te rewharewha i te kura	*Be careful, the flu is going around the school*
Kia kaha koe, me patu koe i tēnei māuiuitanga!	*Be steadfast, deal to this sickness!*
Kia kaha te inu wai!	*Drink lots of water!*

Action phrase (Future tense = *Ka/Ki te . . . ka . . .*)

Ka ora ake koe āpōpō	*You will feel better tomorrow*
Ka whai hua te rongoā nei, ā taihoa ake	*The medicine will 'kick in' soon*
Ka haere koe ki te tākuta ā te ahiahi nei	*You are going to the doctor this afternoon*
Ka rite tonu te pā o te kirieke ki a ia	*He is always getting eczema*
Ki te tiaki koutou i ō koutou tinana, ka kore e māuiui	*If you (3 or more) look after your bodies, you won't get sick*

Action phrase (Present tense = *Kei te . . .*)

Kei te ngau tō puku?	*Have you got a sore stomach?*
Kei te ānini tō māhunga?	*Have you got a headache?*
Kei te mamae tō korokoro?	*Have you got a sore throat?*
Kei te maremare koe?	*Have you got a cough?*
Kei te māuiui au!	*I am sick!*
Kei te hūpē tō ihu	*Your nose is blocked*

Action phrase (Have/Has = *Kua*)

Kua piki tō ora?	*Are you feeling better?*
Kua heke te kirikā	*The fever has gone down*
Kua huri ki ngā rongoā taketake	*He/She has turned to traditional remedies*
Kua piki te kaha o tōna tinana	*He/She has got a lot stronger*
Kua kino ake te ngau puku	*His/Her stomach ache has got worse*

Action phrase (Past tense = *I*)

I pā te mate kōroke ki a ia, uaua te kore kata!	*He/She got constipated; it was hard not to laugh!*

I ruaki ia ki runga i te whāriki	*He/She threw up on the carpet*
I māngeongeo ōna makawe, kāore e kore he kutu	*His/Her head was itchy, without a doubt it's head lice*
I māhorahora te karawaka ki te puna reo i tērā wiki	*Measles spread throughout the pre-school last week*
I tākai koe i tō whēwhē?	*Did you put a bandage on your boil?*

ĒTAHI ATU RERENGA WHAI TAKE
OTHER HANDY PHRASES

I werohia koe ki te kano ārai mō taua mate	*You were immunised for that particular disease*
Whengua tō ihu	*Blow your nose*
Kia manawanui	*Be brave*
Anei he piriora	*Here is a plaster*
Anei tō rongoā	*Here is your medicine*
Kei hea kē mai tō maia!	*You are very very brave!*

WHAKATAUKĪ
PROVERBS

E tata tapahi, e roa whakatū
Procrastination is the thief of time

Okea ururoatia
Never say die

E hia motunga o te weka i te māhanga
Once bitten, twice shy

HE NGOHE-Ā-WHĀNAU
WHĀNAU ACTIVITY TO MAKE TALKING ABOUT AILMENTS A MĀORI LANGUAGE DOMAIN

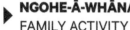

▶ **NGOHE-Ā-WHĀNAU**
FAMILY ACTIVITY

Kids learn best when they are at play. Simple language is enough to create games that build your language capacity, and your children's vocabulary. This game is great for toddlers, they love it, and they learn a lot of usable vocabulary which will help them describe their ailments to you when they get a bit older.

Me tākaro tāua!	*Let's (you and I) play!*
Kei hea tō ihu?	*Where is your nose?*
Kei hea ō karu?	*Your eyes?*
Kei hea ō taringa?	*Your ears?*
Kei hea tō rae?	*Your forehead?*
Kei hea ō makawe?	*Your hair?*
Kei hea tō puku?	*Your stomach?*
Kei hea ō waewae?	*Your legs?*

Once they nail this, you can then start to act out the various ailments that relate to each part of the body. Kaua e whakamā, don't be shy! It's just you and your child, so let those acting talents flow, e hoa mā, go big, go bold!

Auē, kei te hūpē taku ihu	*Oh no, my nose is running*
Auē, kei te mamae ōku karu	*Oh no, my eyes are sore*
Aue, kei te mamae ōku taringa	*Oh no, my ears are sore*
Auē, kei te ānini taku rae	*Oh no, I have a headache*
Auē, kei te māngeongeo ōku makawe	*Oh no, I have an itchy head*

| Auē, kei te ngau tōku puku | *Oh no, I have a stomach ache* |
| Auē, kei te hīwiniwini ōku waewae | *Oh no, my legs are aching* |

And once they start to demonstrate they are understanding all of what you are saying (and have begun to stop laughing at your funny acting!), get them to act out a response to your questions, like this:

Kei te hūpē tō ihu?	*Is your nose running?*
Kei te mamae ō karu?	*Are your eyes sore?*
Kei te mamae ō taringa?	*Are your ears sore?*
Kei te ānini tō rae?	*Do you have a headache?*
Kei te māngeongeo ō makawe?	*Do you have an itchy head?*
Kei te ngau tō puku?	*Do you have a stomach ache?*
Kei te hīwiniwini ō waewae?	*Are your legs aching?*

A final extension on this activity would be then to ask them 'Me aha koe?' (*What should you do?*). Hopefully they will give a variety of answers – you may need to prompt them initially.

Pātai	Whakautu	Pātai	Whiringa Whakautu
Kei te hūpē tō ihu?	Āe	Me aha koe?	Me whengu taku ihu
Kei te mamae ō karu?	Āe	Me aha koe?	Me turuturu rongoā karu ki roto
Kei te mamae ō taringa?	Āe	Me aha koe?	Me kimi rongoā
Kei te ānini tō rae?	Āe	Me aha koe?	Me whakatā
Kei te māngeongeo ō makawe?	Āe	Me aha koe?	Me pāhukahuka patu kutu
Kei te ngau tō puku?	Āe	Me aha koe?	Me haere ki te tākuta
Kei te hīwiniwini tō tinana?	Āe	Me aha koe?	Me haere ki te tākuta

Question	Answer	Question	Possible Answer
Is your nose running?	Yes	What should you do?	Blow my nose
Are your eyes sore?	Yes	What should you do?	Put some eye drops in
Are your ears sore?	Yes	What should you do?	Get some medicine
Do you have a headache?	Yes	What should you do?	Get some rest
Is your head itchy?	Yes	What should you do?	Buy some headlice shampoo
Do you have a stomach ache?	Yes	What should you do?	Go to the doctor
Does your body ache?	Yes	What should you do?	Go to the doctor

NGĀ TŪNGA
INJURIES

KUPU WHAI TAKE
HANDY WORDS

Ārai whara	*Injury prevention*
Whara	*Injured/Injury*
Tūnga	*Injury*
Tūākiri	*Wounded (in fight or battle)*
Toto	*Blood*
Marū	*Bruise*
Tanoi	*Sprain*
Takoki	*Twist*
Tanuku/Riaka	*Strained*
Haukume	*Pull*
Whati	*Break (of bone)*
Tīhaehae	*Tear*
Kūtoro	*Stretched*
Kounu	*Dislocate*
Kaurapa	*Cramp (in leg only)*

Hakoko	*Cramp (in general)*
Raparapa	*Ankle*
Popoki	*Kneecap*
Turipona	*Knee joint*
Iohere punga	*Achilles tendon*
Ateate	*Calf muscle*
Tā	*Shin*
Rīrapa/Iohere kātete	*Hamstring*
Ua whā	*Quadriceps*
Kūhā	*Groin*
Hope	*Hips*
Puku	*Stomach*
Tuke	*Elbow*
Pokohiwi	*Shoulder*
Tāhei	*Collarbone*
Kauae	*Jaw*
Tuarā	*Back*
Tuaiwi	*Discs in back*
Tiki	*Lower back*
Kakī	*Neck*
Tuta	*Back of neck*
Iohere	*Tendon*
Wheua ngohe	*Cartilage*
Pāpāuku	*Plaster cast*
Wā haumanu/Wā whakaora	*Recovery time*

RERENGA WHAI TAKE
HANDY PHRASES
Command (Should = *Me*)

Me koiri i mua i te tākaro	*You should stretch/warm up before you play*
Me mutu tō tākaro, he mōrearea rawa	*You should stop playing, it's too dangerous*

Me tiki kōpaka kia kore ai e pupuhi rawa	*Fetch some ice to keep the swelling down*
Me whakatārewa ake hoki i te waewae	*Keep the leg up as well*
Me whakamakaka ā muri i te tākaro	*You should warm down after you play*

Command (Don't = *Kaua/Kāti*)

Kaua e oma ki whenua kōhaohao kei takoki tō raparapa	*Don't run on undulating ground in case you sprain your ankle*
Kaua e mirimiri i taku ateate, i tanuku i a au inanahi	*Don't massage my calf muscle, I strained it yesterday*
Kāti te whai kia tūākiri tō teina	*Stop trying to injure your younger brother (of male) sister (of female)*
Kāti te rapirapi i te pāpaka, e kore e mahu	*Stop scratching the scab, it will never heal*
Kaua e unu taniwha	*Don't go looking for trouble (injury context)*

Command (Do = *Kia*)

Kia tūpato, kei tanuku tō tuarā	*Be careful, you may strain your back*
Kia tūpato, kei kounu tō paemanu	*Be careful, you may dislocate your collarbone*
Kia tūpato, kei tīhae koe i tō rīrapa	*Be careful, you may tear your hamstring*
Kia tūpato, ka whati tō ringa	*Be careful or you will break your arm*
Kia tere te heke i konā, kei whara koe	*Hurry up and get down from there or you may hurt yourself*

Action phrase (Future tense = *Ka/Ki te . . . ka . . .*)

Ki te heahea tō mahi ki runga tūraparapa, ka whara koe	*If you muck around on a trampoline, you will hurt yourself*
Ka toto i a au tō ihu	*I'll give you a blood nose!*
Ka hārau i a koe tō popoki	*You will graze your knee*
Ka rite tonu te riakatanga o ōna tuaiwi	*He/She is always straining the discs in his/her back*
Ki te manawanui koe, ka poto ake te wā haumanu	*If you are patient, your recovery time will be shorter*

Action phrase (Present tense = *Kei te . . .*)

Kei te toto te ihu o Rāhera	*Rāhera's nose is bleeding*
Kei te marū taku karu, kei te toto taku ihu, engari kei te pai ahau!	*My eye is bruised, my nose is bleeding, but I'm ok!*
Kei te mamae ō waewae?	*Are your legs sore?*
Kei te ngau kikini te mamae i taku kakī	*I have a sharp pain in my neck*
Kei te raruraru tōku hope	*Something is wrong with my hips*

Action phrase (Have/Has = *Kua*)

Kua tīhaea ngā iohere o tōna turipona	*He/She has torn ligaments in his/her knee joint*
Kua whara tōna popoki	*He/She has injured his/her kneecap*
Kua roa ia e raru ana i te hakoko	*He/She has been suffering from cramp for a long time*
Kua roa ia e whara ana	*He/She has been injured for a long time*
Kua takoki tōna raparapa	*He/She has twisted his/her ankle*

Action phrase (Past tense = *I*)

I kounutia tōna kōnui	*He/She dislocated his/her thumb*
I tino rongo ia i te mamae; uaua te kore tangi	*He/She could feel intense pain; it was difficult (for him/her) to not cry*
I paheke ia i te papa māeneene	*He/She slipped on the smooth floor*
I ngana au ki te wheta, mea rawa ake, ka takoki i a au taku turipona	*I tried to change directions, next minute, I ended up spraining my knee*
I te kōpere au, mea rawa ake, ka tīhaea taku rīrapa	*I was sprinting, next minute, I tore my hamstring*

ĒTAHI ATU RERENGA WHAI TAKE
OTHER HANDY PHRASES

He tikanga ārai whara te matiti i mua tākaro	*Stretching before a game helps injury prevention*
He tīhae, he haukume rānei?	*Is it a tear or a pull?*
He mea kūtoro e ia tōna ua whā inanahi	*He stretched his quadricep yesterday*
Mō te tanukutanga o te kūhā, e ono wiki te wā haumanu	*For a groin strain, you're looking at six weeks recovery time*
Tokomaha ngā kaipara ka raru i te tā mātengatenga	*There are many athletes who suffer from shin splints*
Me hāparapara tō tuarā kia tika ai ngā tuaiwi	*You need an operation to fix the discs in your back*
Kāore e taea tō kakī te whakatika	*Your neck is unable to be fixed*
Kei whara kino koe	*You may get badly injured*
Nāwai i whara, kātahi ka whara kē atu	*The injury is going from bad to worse*
Kaurapa! Kaurapa!	*Cramp! Cramp!*
Kei hea? Kei hea?	*Where? Where?*

Kei taku ateate!   *In my calf!*

He rite tonu te pā o te   *She is always suffering from*
   kaurapa ki a ia   *cramp in her legs*

HE NGOHE-Ā-WHĀNAU
WHĀNAU ACTIVITIES TO MAKE TALKING ABOUT INJURIES A MĀORI LANGUAGE DOMAIN

 NGOHE-Ā-WHĀNAU TUATAHI
FAMILY ACTIVITY 1

Playing the Operation game in Māori has always been a fun activity for us to do. We usually make up cards with a relevant te reo Māori phrase written on it. Some examples are below, but there are plenty of phrases in this chapter that you can use.

Ngā tohutohu – Instructions

The kids read the card, then go to the part of the body mentioned on the card to perform the operation. For example, if the card reads, 'Kua kounu te paemanu' (*The shoulder has been dislocated*), the hole closest to the shoulder is where you perform the operation. We usually ask follow-up questions to reinforce and consolidate the new vocabulary, such as: 'He aha te kupu Pākehā mō *kounu*?' (*What is the English word for* kounu?), 'Kei hea tō paemanu? Tohua mai/Whakaatu mai' (*Where is your collarbone? Point to it/Show me*).

Sample phrases to write on cards:

- **Kua kounu i a au tōku kōnui** – *I have dislocated my thumb*
- **Kua haukume taku rīrapa** – *I have pulled my hamstring*
- **Kua whati i a au tōku pokohiwi** – *I have busted my shoulder*
- **I marū i a ia tōku karu** – *He/She bruised my eye*
- **He hārau ki taku popoki tōku mate** – *I have a graze on my knee*

- I takoki taku raparapa – *I have twisted my ankle*
- I paheke au, mea rawa ake, ka takahuri taku pona –
  I slipped and, next thing, I turned my knee

▶ **NGOHE-Ā-WHĀNAU TUARUA**
FAMILY ACTIVITY 2

Using Post-It notes on a mannequin or a simple drawing of the body is another fun game to play. Give the kids some words to write down on the Post-It notes, one at a time, then tell them to pin them on the mannequin or the drawing. For example, 'Tuhia te kupu *paemanu*' (*Write the word* paemanu). 'Kei hea te paemanu i te tinana nei? Whakapirihia tō kupu ki te paemanu o tēnei pakoko/pikitia' (*Where is the collarbone on this body? Stick your word where you think the collarbone is*).

The parts of the body song is well known among learners of te reo, both children and adults. An extension of this activity is to get the kids to compose verse two of that song using the new words they have learnt. Get them to create actions to go with the new verse they have created. Keep getting them to sing the song, both verses, over the coming weeks, so they never forget these important words.

Verse 1

Upoko
Pokohiwi
Puku
Hope
Waewae
Taringa
Whatu
Ihu
Waha e

Make the new Verse 2 out of these words:

Raparapa

Rīrapa

Uaua

Kōiwi

Heke

Ateate

Takakaha

Rara

Popoki

Paemanu

13. RĀ HURITAU
BIRTHDAYS

KŌRERO WHAKATAKI
INTRODUCTION

Birthdays should always be celebrated! Not only are they a good excuse to get your wider family and friends together and have a party, but kids always remember at least some of the birthdays held during their childhood. Birthdays mark turning points in the journey of life; they are a celebration of us being here and a celebration of all our tūpuna who have gone before us. Every year new people come into the life of your child, every year they have new experiences and learn new things. Everything that happens in your child's life is a part of the big plan that was set in motion on their birthday. Birthdays create good memories, fun memories and they can also be reo memories! So let's learn some te reo Māori to help us celebrate our kids' birthdays or even our own birthdays!

First things first, how do we sing the famous 'Happy Birthday' song in te reo Māori? Anei:

Hari huritau	***Happy birthday***
Hari huritau ki a koe	*Happy birthday to you*
Hari huritau ki a koe	*Happy birthday to you*
Hari huritau ki a (ingoa)	*Happy birthday to (name)*
Hari huritau ki a koe	*Happy birthday to you*

Easy as, eh?! And then you can follow it up with the three cheers:

Hipi! Hipi! Hurei! ×3	*Hip! Hip! Hooray! ×3*
or Anā hī, anā hī, anā hī, ha!	*Hip! Hip! Hooray! ×3*

Birthdays create good memories, fun memories and they can also be reo memories!

KUPU WHAI TAKE
HANDY WORDS

Huritau	*Birthday*
Perehana	*Present*
Koha	*Gift*
Keke huritau	*Birthday cake*
Pani reka	*Icing*
Wherawhera perehana	*Open presents*
Kāri	*Card*
Tunahi	*Wrap*
Whiwhi	*Receive*
Kānara	*Candle*
Poihau	*Balloon*

RERENGA WHAI TAKE
HANDY PHRASES

Belonging to (*Ko/Nā/Nō/Mā*); Who did? (*Nā wai . . . i . . .?*); and Who will? (*Mā wai . . . e . . .?*)

Mā wai tēnei perehana?	*Who is this present for?*
Mā wai tēnei koha?	*Who is this gift for?*
Mā taku tamāhine?	*Is it for my daughter?*
Mā taku tama?	*Is it for my son?*
Mā Tāmana tēnei taraka	*This truck is for Damon*
Mā Hātene ēnei hū hou	*These new shoes are for Hayden*
Mā taku kuru pounamu tēnei keke huritau	*This birthday cake is for my precious child*
Mōu tēnei poraka whutupōro	*This rugby jersey is for you*
Nā Whaea Mere i homai mō tō huritau	*Aunty Mere gave it for your birthday*
Nōu tēnei pahikara ināianei, āta tiakina!	*This is your bike now, look after it!*
Ko te waka tākaro tēnā a Rēweti	*That's Rēweti's toy car*

I hoatu ki a ia mō tana huritau i tērā tau	*He got given it for his birthday last year*
Nō wai te huritau o tēnei rā?	*Whose birthday is it today?*
Nōku!	*Mine!*
Nō Te Pāea!	*It's Te Pāea's!*
Nōna!	*It's his/hers!*

Asking What? (*He aha?*) and Description (*He*)

He aha kei roto i tēnei pouaka?	*What's in this box?*
He aha kei roto i tēnei mōkihi?	*What's in this packet?*
He aha tēnei kua tunahitia nei?	*What's in this wrapping?*
He perehana!	*A present!*
He aha ō hiahia mō tō huritau?	*What do you want to do for your birthday?*
He aha māu mō tō huritau?	*What do you want for your birthday?*
He keke me ngā kānara kei runga, he perehana hoki	*Cake with candles on it, and presents*
He perehana tino nui tēnei	*This is a huge present*
He tāre ātaahua tēnei hei whakanui i tō huritau	*This beautiful doll is to celebrate your birthday*
He maha ō koha huritau, nē?!	*You have got heaps of birthday presents, eh?!*

Command (Should = *Me*; Give/Pass = *Homai*)

Me pōwhiri i a wai ki tō huritau?	*Who shall we invite to your birthday?*
Me haere ki hea mō tō huritau?	*Where shall we go for your birthday?*
Me haere ki ngā puna kaukau	*Let's go to the pools*
Me haere ki te papa tākaro mō taku huritau	*Let's go to the playground for my birthday*

Me waiata hari huritau tātou ki a Nana	*Let's sing happy birthday to Nana*
Me wherawhera perehana?	*Shall we open presents?*
Me pānui i te kāri i te tuatahi kia mōhio ai koe nā wai!	*Read the card first so you know who it's from!*
Me tīhaehae i te pepa tunahi	*Tear open the wrapping paper*
Me kaua e neke atu i te tokorima ngā hoa, nē?	*No more than five friends, ok?*
Me waea atu ki a Koro ki te mihi mō tāu i whiwhi ai	*You should ring up Koro to say thank you for what you received*

Command (Don't = *Kaua/Kāti*)

Kaua e wareware ki te mihi mō ō perehana	*Don't forget to say thank you for your presents*
Kaua e tata rawa ki ngā kānara	*Don't get too close to the candles*
Kāti te koko pani reka ki tō matimati	*Stop scooping off the icing with your finger*
Kāti te umere, tamariki mā!	*Stop yelling, children!*
Kaua e hauruturutu i ngā perehana, he pīrahi pea nō ētahi	*Don't shake (vigorously) the presents, some may be fragile*

Command (Do = *Kia/E*/Passive endings)

Puhipuhia ngā kānara	*Blow out the candles*
Tapahia te keke	*Cut the cake*
Tohaina he keke ki tēnā, ki tēnā	*Give a piece of cake to each person*
Mukua ngā ringaringa me ngā waha	*Wipe your hands and your mouths*
Wherawherahia ō perehana	*Open your presents*

Action phrase (Future tense = *Ka/Ki te . . . ka . . .*)

Ka kai, ka horoi utauta, kātahi ka wherawhera perehana	*We will eat, do the dishes, then open presents*
Ki te takaroa tātou, ka mahue te wā wherawhera perehana	*If we (all of us) are late, we will miss the opening of presents*
Ka tekau mā tahi tau koe āpōpō	*You will be 11 tomorrow*
Ka whitu ō tau ā te 17 o Paengawhāwhā	*You will be seven on the 17th of April*
Ka haere ki te huritau o Hēmi ā te ahiahi nei	*We will go to Hēmi's birthday this afternoon*

Action phrase (Present tense = *Kei te . . .*)

Kei te tū te huritau o Rāwiri ki te whare o tōna māmā	*Rāwiri's birthday is being held at his mother's house*
Kei te haere tāua ki te hoko perehana mā Rāwiri	*We (you and I) are going to buy a present for Rāwiri*
Kei te tākaro ngā tamariki me ngā Lego hou	*The kids are playing with the new Lego*
Kei te tino harikoa ia ki tāu i hoko ai māna	*He/She is ecstatic with what you bought him/her*
Kei te haere mai koe ki te huritau o Sam?	*Are you coming to Sam's birthday?*

Action phrase (Have/Has = *Kua*)

Kua hoko perehana koe māna?	*Have you bought his/her present?*
Kua mutu kē te huritau o ngā māhanga	*The twins' birthday has already finished*
Kua tekau tau koe ināianei, kei ngā whika takirua!	*You are 10 now, in double figures!*
Kua kite koe i te māripi koi hei tapahi i te keke?	*Have you seen the sharp knife for cutting the cake?*

Kua pau te katoa o ngā mōkara te kai	*All of the savouries have been eaten*

Action phrase (Past tense = *I*)

I tunu tōtiti whero mā ngā tamariki?	*Did you cook some red sausages for the kids?*
I iwa tau koe i tērā tau, hei tēnei tau ka tekau koe	*You were nine last year, this year you will be ten*
I whai ia i ngā pū wai e rima	*He got (given) five water pistols*
I tonoa te whānau Tua, engari auare ake	*The Tua family was invited, but were a no-show*
I aha koe mō tō huritau?	*What did you do for your birthday?*

ĒTAHI ATU RERENGA WHAI TAKE
OTHER HANDY PHRASES

Sample birthday invitation in te reo Māori:

Ki a . . . .
Nau mai, haere mai ki te rā
huritau o . . . .
Hei te . . . . . . o ngā rā o . . . . . .

Ki . . . .
Ka tīmata hei te . . . .
Ka mutu hei te . . . .

1. Is where you put the name of the person you are inviting: 'Ki a <u>Mere</u>' (To <u>Mary</u>)
2. Is where you put the name of the person who is having the birthday: ' . . . o <u>Tame</u>' (. . . of <u>Tom</u>)
3. Is the date: 'Hei te <u>27</u> o ngā rā o <u>Haratua</u>' (On the <u>27th</u> of <u>May</u>)
4. Is where you give the location: 'Ki <u>5 i te huarahi o Heretaunga</u>' (At <u>5 Heretaunga Street</u>)
5. Is the time the party starts: 'Ka tīmata hei te <u>11am</u>' (Starting at <u>11am</u>)
6. Is where you put when the party ends: ' Ka mutu hei te <u>4pm</u>' (Ending at <u>4pm</u>)

WHAKATAUKĪ
PROVERBS

Ahakoa he iti, he pounamu
Although it is small, it is greenstone
This is a humble way to deliver a small gift. Although perception is everything! The word pounamu or greenstone stands as a metaphor for something precious or a treasure from the heart.

Iti noa ana, he pito mata
From the withered tree, a flower blooms

He iti tangata e tupu, he iti toki e iti tonu
People grow, adzes remain small
People are more valuable than material possessions.

Ahakoa he iti, he iti nā te aroha
Although it is small, it is given with affection

HE NGOHE-Ā-WHĀNAU
WHĀNAU ACTIVITIES TO MAKE BIRTHDAYS A MĀORI LANGUAGE DOMAIN

▶ **NGOHE-Ā-WHĀNAU TUATAHI**
FAMILY ACTIVITY 1

Takahi Poihau – Balloon Stomp

He tākaro tēnei mō waho i te whare – *this is an outdoor party game.* You will need:

- He aho, he rīpene, he taura rānei, kotahi mita te roa mō ia tamaiti o te kāhui huritau
  String, rope, or ribbon, a metre long for every child at the birthday party
- Ngā poihau maha
  Lots of balloons

Te tākaro – *To play*

Herea he poihau ki ngā raparapa o ia tamaiti. Ko te whāinga, kia pahū i ngā tamariki ngā poihau o ō rātou hoa, me te tiaki tonu i ā rātou ake poihau kia kore ai e pahū. Ko te tamaiti kei a ia tonu te poihau e ora ana, koia ka toa. Kia maumahara, kāore e taea e rātou ō rātou ringaringa te whakamahi, ko ngā waewae anake! Meatia kia toru, kia whā rānei ngā tauwhāinga o te tākaro nei. Kei a koe te tikanga!

Tie a balloon around every child's ankle. The object of this game is for the children to stomp and pop their friends' balloons without getting theirs popped. The child whose balloon hasn't been popped, wins. Remember, they are not allowed to use their hands, only feet! You can have three or four rounds of this game if you wish. It's up to you!

Use the explanation above and over the page to explain to the kids how to play. It's ok to read it out if you have to, you may even have to read the English translation, the main thing is that the kids hear and are exposed to te reo, normalising it as part of their home life no matter what the situation.

Te reo hei whakamahi	*Language to use*

Te reo hei whakamahi

Me tākaro Takahi Poihau tātou!

1. Kei te herea he poihau ki ō koutou raparapa.
   I am going to tie a balloon to your ankles.
2. Ko te whāinga, kia pahū i a koutou ngā poihau o ō koutou hoa, me te tiaki tonu i ā koutou ake poihau kia kore ai e pahū.
   The object of this game is for you to stomp and pop your friends' balloons without getting yours popped.
3. Ko te tamaiti kei a ia tonu te poihau e ora ana, koia ka toa!
   The one whose balloon remains un-popped, wins!
4. Kāore e taea e koutou ō koutou ringaringa te whakamahi, ko ngā waewae anake!
   You are not allowed to use your hands, only feet!
5. Kua mārama?
   All clear?

Language to use

Let's play Balloon Stomp!

....

 NGOHE-Ā-WHĀNAU TUARUA
FAMILY ACTIVITY 2
....

Kakere – Target Throwing

This is an easy game to set up and it always goes well! Set up objects for kids to throw a tennis ball at. This can be a stack of cups or buckets, or even a cardboard box with a hole cut in the side. Again, play as many rounds as you like. 'Kakere' is a term used for an old game when a piece of kūmara was stuck on the end of a stick, then the kūmara was 'flicked' towards a takune or target.

Te reo hei whakamahi   *Language to use*

Me tākaro Kakere tātou!   *Let's play Target Throwing!*

1. E toru ngā pōro tēnehi ka hoatu ki tēnā, ki tēnā.
    You will get three balls each.
2. Ko te whāinga, kia whiu i te pōro ki ngā kapu/ngā
    pākete/te kōhao o te pouaka.
    *The objective is to throw the balls at the cups/the
    buckets/the hole in the box.*
3. Ko te tamaiti ka hinga i a ia te nuinga o ngā kapu/pākete
    ki ngā pōro tēnehi, koia ka toa!
    *The one who knocks over the most cups/buckets with the
    tennis balls, wins!*
4. Ko te tamaiti ka whiu i te maha o ngā pōro tēnehi ki te
    kōhao, koia ka toa!
    The one who throws the most tennis balls into the hole, wins!
5. Kua mārama?
    All clear?

....

▶ **NGOHE-Ā-WHĀNAU TUATORU**
FAMILY ACTIVITY 3
....

Whakakī Ipu – Fill the Bucket

Mō tēnei o ngā tākaro, me puta ki waho nā te mea kāore e kore
ka mākū ngā tamariki!

*It's best to head outside for this birthday game because the
kids will no doubt get wet!*

He mahi-ā-rōpū, ā-kapa rānei tēnei, ko te whāinga kia tuatahi
ki te whakakī i te ipu ki te wai.

*This is a team game and it's a race to see who fills up their
bucket or container of water first.*

Te tākaro – *To play*

Whakawehea ngā tamariki kia rua ngā rōpū. Hoatu he kapu
kirihou ki tēnā, ki tēnā. Kei tētahi taha o te iāri/papa tākaro he

puna wai nui, pērā i te puna kaukau kōhungahunga. Kei tērā atu taha, kia rua ngā pākete ōrite. Me rārangi ngā tamariki i te puna wai nui ki te pākete. Kia tīmata te tākaro, ka koutuhia he wai e te tamaiti tuatahi e tūtata ana ki te puna wai nui, ka tere tonu tana riringi i te wai i tana kapu ki te kapu a te tamaiti tuarua i te rārangi. Ka riringihia e te tuarua ki te tuatoru, ā, haere tonu ki te tamaiti i te mutunga o te rārangi, koia ka riringi ki te pākete a te rōpū. Ko te kapa ka tuatahi ki te whakakī i tā rātou pākete, ko rātou ka toa!

Divide players into two teams. Provide a plastic cup to each player. On one side of the yard or playing area you will need to have a large container of water such as a kiddie pool. On the other side, set up two identical buckets. The teams create a line from the large container of water to their bucket. When the game starts the child closest to the starting container fills his or her cup and then pours it into the next child's cup as fast as possible. That child pours it into the next child's cup, and so on until the water reaches the last player, who pours it into the team's bucket. When one team fills up their bucket they claim victory!

Te reo hei whakamahi
Language to use

Me tākaro Whakakī Pākete tātou!

Let's play Fill the Bucket!

1. Kei te hoatu he kapu kirihou ki tēnā, ki tēnā.
   I am going to give each player a plastic cup.

2. Kei tētahi taha o te iāri/papa tākaro he puna wai nui, kī ana i te wai.
   On one side of the yard/playing area is a large container full of water.

3. Kei tērā atu taha ngā pākete ōrite e rua.
   On the other side are two identical buckets.

4. Me rārangi mai koutou i te puna wai nui ki te pākete.
   You have to line up from the big container of water to the bucket.

5. Ko te tamaiti tuatahi ka koutuhia he wai.
    The first child fills his/her cup.
6. Ka tere tonu tana riringi i te wai i tana kapu ki te kapu a te tamaiti tuarua i te rārangi.
    Then pours it into the next child's cup as fast as possible.
7. Ka riringihia e te tuarua ki te tuatoru, ā, haere tonu ki te tamaiti i te mutunga o te rārangi, koia ka riringi ki te pākete a te rōpū.
    That child pours it into the next child's cup and so on until the child at the end of the line pours it into the team's bucket.
8. Ko te kapa ka tuatahi ki te whakakī i tā rātou pākete, ka toa!
    The first team to fill up their bucket, wins!

 NGOHE-Ā-WHĀNAU TUAWHĀ
FAMILY ACTIVITY 4

Aruaru Taonga – Treasure Hunt

A great activity to reinforce our location phrases and to increase the fun at a birthday party is to make a treasure hunt or an aruaru taonga. Treasure hunts are easy to create and you can tailor them to the age of the kids. They are also interactive and can be done by both parents and kids, encouraging good quality 'whānau time'! Treasure hunts are also inexpensive, and that's always a good thing, nē?!

All you need is:

1. Some prizes for your 'treasure' – goodie bags are a good idea at birthday parties so all the guests get something.
2. Pen and paper to write your clues on.

It will probably take you around 15–20 minutes to put together, and the actual activity time itself can last up to 30 minutes depending on how many clues you make, and how far away the kids have to travel to find the clues. You can create treasure hunts around the home, the neighbourhood or at the playground.

Here's an example of 10 tīwhiri or clues we used at a birthday party for seven year olds:

Ngā tīwhiri – The clues

1. Kei hea te miraka e noho ana?
   (Where does the milk live?)
   Hide Clue 2 in fridge

2. Kei hea te tiamu e noho ana?
   (Where does the jam live?)
   Hide Clue 3 in pantry

3. Mō te tīwhiri tuawhā, tirohia ō tōkena
   (For Clue 4, look in your socks)
   Hide Clue 4 in the kid's sock drawer

4. Kei hea te wāhi e waku ai koe i ō niho?
   (Where do you go to brush your teeth?)
   Hide Clue 5 in the bathroom

5. Mā te pānui pukapuka e piki ai tō ihumanea
   (Reading books will increase your knowledge)
   Hide Clue 6 in a book in the kid's room

6. Me puta ki waho, kia kite koe i te waka!
   (Time to go outside and find the car)
   Hide Clue 7 on the car somewhere

7. Kei te kite koe i te tamaiti tino teitei rawa a Tāne Mahuta?
   (Can you see the God of the Forest's tallest tree?)
   Hide Clue 8 somewhere on or near the tallest tree on your property or close by (be careful of crossing roads!)

8. Kei hea te ruma mō te horoi kākahu paru?
   (Where is the room for washing clothes?)
   Hide Clue 9 in the laundry

9. Ki te tae mai he manuhiri, mā konei ia e kuhu mai ai ki te whare
(If a visitor arrives, this is where they will enter the house)
Tape final clue on front door

10. Kua tata koe ki te taonga nui o te rā! Kia kaha! Anei te tīwhiri whakamutunga . . . ki te titiro koe ki tēnei, ka kite koe i a koe anō
(You are very close to today's treasure! Keep it up! Here is your final clue . . . if you look at this, you will see yourself)

It's quite entertaining watching the kids running around looking at, and around, every mirror in the house! The main bedroom is usually the best place to hide the 'treasure' but if it's food of some kind, be wary not to place it around clothes or in the bed – tikanga usually encourages us to keep kai and bedding separated! Otherwise, think of other places to hide the 'treasure'!

Here's some other alternatives for a final tīwhiri or clue:

Kua tata koe ki te taonga nui o te rā! Kia kaha! Anei te tīwhiri whakamutunga . . . kei roto te kō me ōna hoa i tēnei whare
(You are very close to today's treasure! Keep it up! Here is your final clue . . . the spade and similar tools are in this building)

Kua tata koe ki te taonga nui o te rā! Kia kaha! Anei te tīwhiri whakamutunga . . . kei te moe tā tātou kurī ki hea?
(You are very close to today's treasure! Keep it up! Here is your final clue . . . where does our dog sleep?)

Kua tata koe ki te taonga nui o te rā! Kia kaha! Anei te tīwhiri whakamutunga . . . kei hea a Māmā? Kei a ia te taonga!
(You are very close to today's treasure! Keep it up! Here is your final clue . . . where is Mum? She has the 'treasure'!)

Mum or any adult present, would have already gone to find a place to hide and when they find her, she can give out the 'treasure'.

14. TE AO MATIHIKO/ HANGARAU
THE DIGITAL WORLD/ TECHNOLOGY

KŌRERO WHAKATAKI
INTRODUCTION

Te ao matihiko, or *the digital world*, is something our tamariki have known since birth, and it's exciting to think of the innovations they'll see in their lifetime. The digital world has required innovation in terms of Māori language, too, so that we can express this fairly new element of our lives. The great thing about Māori words is they often describe the purpose or mechanism of equipment in the name, for instance, *rorohiko* or *computer* can be broken down literally to *roro – brain* and *hiko – electric*, which is a pretty great description of what a computer is! Negotiating screen time and building good knowledge around cyber safety are all hot topics for parents, so let's get into how we can do that in Māori.

Negotiating screen time and building good knowledge around cyber safety are hot topics for parents, and that can all be done in Māori

KUPU WHAI TAKE
HANDY WORDS
NGĀ MOMO PŪRERE MATIHIKO
TYPES OF DIGITAL DEVICES

Waea pūkoro	*Cellphone*
Waea atamai	*Smartphone*
Pūrere	*Device (generic)*
īWaea	*iPhone*
īPapa	*iPad*
īRangi	*iTunes*
Rorohiko	*Computer*
Rorohiko pōnaho	*Laptop*
Papahiko	*Tablet*
Matatopa	*Drone*
Pouaka whakaata atamai	*Smart TV*

PĀPĀHO PĀPORI
SOCIAL MEDIA

Pukamata	*Facebook*
Pae Tīhau	*Twitter*
Tīhau	*Tweet*
Paeāhua	*Instagram*
Te Aka	*Vine*
Atapaki	*Snapchat*
Puahi ipo	*Tinder*
MataWā	*FaceTime*
TiriAta	*YouTube*
TangiAo	*SoundCloud*
īKiriata	*iMovie*

TE AO MATIHIKO WHĀNUI
WIDER DIGITAL TERMS

Matihiko	*Digital*
Hangarau	*Technology*

Ipurangi	*Internet*
Kupuhipa/Kupu tāuru	*Password*
Paetukutuku	*Website*
Waiwhai	*Wi-Fi*
Pātuhi	*Text*
Tuihono	*Online*
Īmēra	*Email*
Matatahi	*Selfie*
Kapua	*Cloud*
Whakaū/Tikiake	*Download*
Pāhorangi	*Podcast*
Rangitaki	*Blog*
Ao whakarahi	*Augmented reality*
Tuhiwaehere	*Coding*
Atamariko	*Avatar*
Mata	*Screen*
Pāwhiri	*Click*
Pūhihiko	*Charger*
Taura hiko	*Charger cord*
Rapu	*Search*
Panuku	*Scroll*
Whakaweto	*Turn off*
Miri	*Swipe*
Whakakaha/Whakahiko	*Charge (phone, iPod, etc.)*
Hōtaka-ā-tono	*TV On Demand*
Pūtea	*Credit*
Rau mahara	*USB stick*
Wheori	*Virus*
Kōtaha	*Profile*
Tohumarau	*Hashtag*
Whakahoa	*To 'friend' someone*
Wetehoa	*To 'unfriend'*
Whakaweti tāurungi	*Cyber bullying*
Haumaru-ā-ipurangi	*Cyber safety*

Taupānga/Pūmanawa tautono	*App*
Tohu kare-ā-roto	*Emoji*

RERENGA WHAI TAKE
HANDY PHRASES

Belonging to (*Ko/Nā/Nō*)

Ko te papahiko tēnei a Mere	*This is Mere's tablet*
Nāku tēnei īWaea, nāku anō i hoko	*This is my iPhone, I bought it myself*
Nāku ēnei taupānga, waiho!	*These apps are mine, leave them alone*
Nāku tēnei taura hiko?	*Is this the cord to my charger?*
Nā ngā tamariki katoa o tēnei whānau taua rorohiko, kei wareware i a koe	*That computer belongs to all the kids in this family, don't you forget that*
Ko wai te ingoa o tō atamariko?	*What's the name of your avatar?*
Nāu te īPapa, māu e tiaki	*It's your iPad, you look after it*
Ko ōku puru taringa/poko taringa ēnei	*These are my headphones*
Ko te rau mahara a Pāpā tēnei, ka mutu ana tāu mahi, whakahokia ki a ia	*This memory stick is Pāpā's, when you've finished your work, give it back to him*
Nō māua ko Māia te mana whakairo hinengaro mō tēnei iKiriata	*The intellectual property rights of this iMovie belong to Māia and me*

Description (*He*)

He pōturi te ipurangi ki tōku whare	*The internet is slow at my house*
He mūrere pai tēnā!	*That's a good hack!*

He ataoti kē tēnā, ehara i a Kanye West! — *That's a hologram (over there), it's not Kanye West!*

He rawe tēnei pōhi Pukamata — *This is a great Facebook post*

He māmā noa iho te miri i tēnei mata, nē hā? — *It's very easy to swipe this screen, isn't it?*

He rāhui hangarau kei te haere ake ki te kore koutou e whakarongo mai — *There will be a ban on technology if you (3 or more) don't listen*

He pūtea tāu? — *Do you have any credit?*

He whakahiko tāu? — *Do you have a charger?*

He aha te kupuhipa mō tēnei pūrere? — *What's the password for this device?*

He rangitaki tāna, kei te whai pūtea nui hoki! — *He/She has a blog and is making lots of money too!*

Location (*Kei hea/I hea?*)

Kei hea te paetukutuku mō tō kura? — *Where's the website for your school?*

Kei hea ngā pāhorangi pukukata o te wā? — *Where are the funny podcasts these days?*

I TangiAo tēnei waiata — *This song was on SoundCloud*

I hea te wānanga tuhiwaehere? — *Where was the coding workshop?*

Kei runga i ngā hautō taku waea atamai — *My smartphone is on top of the drawers*

Kei hea aku īmēra? Auē, kua whai wheori taku rorohiko! — *Where are my emails? Oh no, my computer has a virus!*

Kei runga rā te matatopa, titiro! — *The drone is up there, look!*

Kei hea te kiore? Kāore e taea te panuku! — *Where's the mouse? I can't scroll!*

Kei te rārangi takaiho ngā whakamōhiotanga — *The dropdown menu is where the notifications are*

Kei ngā Hōtaka-ā-tono kē, kāore anō kia whakaū ki te kapua	*It's only on TV On Demand, I haven't downloaded it to the cloud*
Kei hea te kupuhipa mō te waiwhai	*Where's the password for the Wi-Fi?*

Command (Should = *Me*)

Me whakaū i te parenga wheori ki te rorohiko pōnaho	*We should download virus protection onto the laptop*
Me ū ki tā tātou kirimana hangarau ā-whānau	*We should stick to our family digital contract*
Me whakaoti āu mahi kāinga katoa i mua i te tākaro kēmu	*You should finish all your homework before you play games*
Me mōhio a Māmā ki te kupuhipa	*Māmā had better know the password!*
Me noho tūmataiti tāu kōtaha Paeāhua	*Your Instagram profile should stay private*
Me whakahiko taku waea atamai, rima ōrau noa iho e toe ana	*I should charge my smartphone, it's on five per cent*
Me haukoti i ngā hokonga ki-rō-taupānga	*(You) should stop in-app purchases*
Me tango a īRangi i tana waea	*(You) should remove iTunes from his/her phone*
Me whai i te whakahounga taupānga, kua ngaro aku tohu kare-ā-roto	*I need the app update, my emojis have disappeared*
Me popore koe ki ō hoa Pukamata, pēnā i ō hoa i te ao tūturu	*You should be kind to your Facebook friends just like your friends in the real world*
Me hono tāua hei hoa Pukamata, kia kite ai au i āu pōhi	*You and I should be Facebook friends, so I can see your posts*

Me whakamahi ngā mana mātua	*We should use the parental controls*

Command (Don't = *Kaua/Kāti*)

Kaua e whakairi i taua whakaahua ki a Paeāhua	*Don't put that photo on Instagram*
Kāti te aro ki te waea	*Stop focusing on the phone*
Kaua e whāki atu i tō wāhi noho	*Don't reveal where you live*
Kaua e horokukū ki te kōrero mai mēnā kei te whakaweti tētahi i a koe	*Don't hesitate to say if someone is bullying you*
Kaua e waiho inu ki te taha o te rorohiko	*Don't leave drinks next to the computer*
Kaua e huaki i ngā īmēra paraurehe	*Don't open the junk emails*
Kāti te kohi matatahi ki taku waea	*Stop collecting selfies on my phone*
Kāti te whakapau i te raraunga	*Stop using up the data*
Kāti te tāhae kiriata i te ipurangi, he tāhae tonu te tāhae!	*Stop stealing movies on the internet, stealing is stealing!*
Kāti te tākaro, me hono kē ki a Studyladder	*Stop playing games and go into Studyladder instead*
Kāti te whakahoki kōrero ki taua tangata, he ika haehae kupenga	*Stop replying to that person, they're a troublemaker*

Command (Do = *Kia/E*)

Kia tūpato, kaua e taka te papahiko, ka pakaru te mata!	*Be careful, don't drop the tablet, the screen will break!*

Kia tūpato; whakahoahoa ki ngā tāngata e mōhio ana koe	*Be careful; friend the people you know*
Kia mau i a koe he Pokemana mokomokorea, ka tino harikoa tātou!	*If you catch a rare Pokémon, we will all be so happy!*
Kia manawanui, kāore e roa, kei a koe te wā	*Be patient, it won't be long until it's your turn*
Kia mataara, he hītinihanga kē ētahi īmēra	*Be aware, some emails are actually phishing*
Kia kaha te ako i ngā pūkenga tuhiwaehaere, ka whai hua tēnā	*Go hard to learn coding skills, that will be helpful*
Whakaweto i te īPapa!	*Turn off the iPad*
Whakaitia te kahaoro	*Turn the volume down*
Waiho!	*Leave it!*
Whakahiko i te waea atamai	*Charge the smartphone*
Whakakorengia ēnā waiata	*Delete those songs*

Action phrase (Future tense = *Ka/Ki te . . . ka . . .*)

Ki te pā te wheori ki te rorohiko, ka ngaro āu mahi katoa	*If a virus gets into the computer, all your work will be lost*
Ki te tūkino koe i tāu pūrere, ka ngaro i a koe	*If you mistreat your device, you'll lose it*
Ki te paki te rā, me puta ki waho, tākaro ai – hei aha te aro ki ngā hangarau	*If the weather improves, you should go outside to play – enough focusing on the technology*
Ka hoko pūtea anō tātou i te rā nei	*We (all of us) will get more credit today*
Ki te hurihia te tāwhakaahua, ka kite au i a koe i te MataWā	*If you turn the camera around I'll see you on FaceTime*

Ki te whakapōrearea taua tama i a koe, ka huri ki te wetehoa	*If that boy bothers you, he'll be unfriended*
Ki te maha rawa aku pātuhi, ka nui rawa te nama!	*If I send too many texts, my bill will be too big!*
Ka whakapono au ki a koe	*I'll trust you*
Ki te pēnā koe, ka tangohia te pūrere	*If you do that, the device will get taken away*
Ki te ngaro tēnei waea, ka tere taku kimi i te ipurangi, mā te taupānga Kimihia Taku īWaea	*If I lose this phone, I would quickly look for it on the internet, using the Find My iPhone app*

Action phrase (Present tense = *Kei te . . .*)

Kei te mātaki whitiāhua i a TiriAta	*I'm watching videos on YouTube*
Kei te tūhono ki te ipurangi a ngā kiritata	*I'm online via the neighbour's internet*
Kei te tīni au i ngā kupuhipa katoa	*I'm changing all the passwords*
Kei te whakahoa koe ki taua ika haehae kupenga? Kia tūpato!	*You're becoming friends with that troublemaker? Be careful!*
Kei te rapu meka i a Kūkara	*I'm searching for facts on Google*
Kei te pau haere te kaha o te rorohiko, me whakahono i te taura hiko	*The power is running out on the computer, I need to connect the power cord*
Kei te tākaro kēmu koe, nē?	*You're playing games, aren't you?*
Kei te whakarite au i te hēteri. Ka pau ana te wā, ka tangi te waea, ā, kei tō tuakana te wā	*I'm setting the alarm. When time is up, the phone will beep, then it's your elder sibling's (same gender) turn*

Kei te mōhio koe me pēhea te whakahaere i tēnei pūrere?	*Do you know how to work this device?*
Kei te tīpako i aku hoa Pukamata	*I'm culling my Facebook friends*

Action phrase (Have/Has = *Kua*)

Kua pau te pūmahara o taku waea, he kaha rawa nō koutou ki te whakaū taupānga	*The memory on my phone has been used up because you (3 or more) upload too many apps*
Te āhua nei, me whakahou i tēnei rorohiko	*Looks like we should upgrade this computer*
Kua oti tāu mahi kāinga?	*Have you finished your homework?*
Tekau meneti mō te tākaro ataata, kātahi ka moe	*Ten minutes to play games, then it's sleep time*
Kua tīnihia tāu kōtaha kia tūmataiti ai?	*Have you changed your profile so it's private?*
Kua hōhā au ki taua kaiwhakarato ratonga ipurangi, ka kimi ratonga kē	*I've had enough of that internet service provider, I'm looking for another*
Kua pīereere te mata!	*The screen is cracked!*
Kua mate ki te rāhui i ngā hangarau, he haututū nō koutou	*We've had to ban technology because you (3 or more) have been naughty*
Kua hua mai anō aua whakatairanga hōhā!	*Those annoying ads have popped up again!*
Me pēhea te whakangaro atu?	*How do you get rid of them?*
Kua pau te wā hangarau, he wā tākaro ki waho	*Technology time is up, time to play outside*
Kua hanga whare Mahimaina tino whakamīharo koe!	*You've created an amazing Minecraft house!*

Action phrase (Past tense = *I*)

I whakahou i aku taupānga katoa inanahi	*I updated all my apps yesterday*
I ngaro aku tuhinga nā te mea kāore au i tiaki i mua i te paunga o te kaha!	*My documents were lost because I didn't save before the power ran out!*
I matawai i aua kirimana	*Those contracts were scanned*
I tangi ia, he pōuri nōna ki te kōrero a tana hoa Pukamata	*He/She cried because he/she was sad at what his/her Facebook friend said*
I whāngai hiko ki te īPapa i te ata nei	*I charged the iPad this morning*
I haere māua ki tātahi kia whakamahi i te Matatopa	*We (him/her and I) went to the beach to use the drone*
I whakaae koe ki ngā tono tākaro kēmu?	*Did you accept the game requests?*
I utu koe i te nama ipurangi?	*Did you pay the internet bill?*
I tio te rorohiko, nā reira i mate ki te whakakā anō	*The computer froze, so I was forced to restart it*
I pāwhiri koe i ngā toi topenga?	*Did you click on the clip art?*

NGĀ KŌRERO HOUTUPU
REAL TALK, TOUGH TALK

Ko wai te whakamutunga ki te whakamahi i tēnei pūrere?	*Who was the last to use this device?*
Ko wai i tiaki i taku kāri nama ki tēnei paetukutuku?	*Who saved my credit card to this website?*
Auē! Kua takahia ngā ture o te kirimana matihiko, he rāhui kei te haere	*Oh no! The terms of our digital contract have been disobeyed, a ban is about to be put in place*

Me ū ki ngā ture, kia haumaru ai koe	*You have to stick to the rules in order for you to be safe*
Kei te mārama ahau, he uaua ēnei āhuatanga	*I understand, these situations are tough*
Mēnā kei te whakaweti tētahi hoa i a koe, ka kimi āwhina	*If one of your friends is bullying you, we'll look for help*
Ko tētahi ture, me whakaae koe ki taku tono hei hoa Pukamata	*One rule is, you have to accept my Facebook friend request*
Whakaaturia mai āu pōhi	*Show me your posts*
I pakaru i a wai?	*Who broke it?*

ĒTAHI ATU RERENGA WHAI TAKE
OTHER HANDY PHRASES

Ka nui taku manawareka ki te auaha o tāu mahi tuhiwaehere!	*I'm so pleased with the creativity in your coding work!*
Hono mai ki tā mātou rōpū kōrerorero	*Join our group chat*
Puta rawa mai koutou i te kura, ka tono i ngā hangarau!	*As soon as you (3 or more) get out of school you want the technology!*
Auē, mukua taua whakaahua!	*Eeew yuck, delete that photo!*
Koirā te mate o taua taupānga, ka mate ki te whakahou ia rua wiki!	*The problem with that app is, you have to update it every two weeks!*

WHAKATAUKĪ
PROVERBS

Tīkarohia te marama

Seek out that which is most important

Kei runga te kōrero, kei raro te rahurahu
He that will cheat you at play will cheat you anyway

E kore e taea e te rā te waru
Difficult matters require time to resolve

E patu te rau, e patu te arero
The tongue (slander or gossip) can injure many

HE KIRIMANA MATIHIKO
A DIGITAL CONTRACT

Having a digital contract is a good way to agree on the terms of your tamariki using technology. Of course every whānau will have different standards, needs, and thresholds that work for them. We thought it would be good to have an example contract, with Māori wording, which you could use as a basis for your whānau.

Ka haumaru au – *I will be safe*

- Ka kore au e hoatu taipitopito tūmataiti, pērā i taku ingoa katoa, rā whānau, wāhi noho, nama waea rānei, mēnā kāore taku whānau i te whakaae.
  I will not give out any private information, such as my full name, date of birth, address, or phone number, without my family's permission.
- Ka noho muna tonu aku kupuhipa, ka whākina ki tōku whānau anake.
  I will keep my passwords private and only share them with my family.
- Ka whāki atu ki tētahi pakeke, e whakapono atu nei au he ngākau pono tōna, mēnā ka manawarau, pōuri, ka wehi rānei au i te kōrero a tētahi i te ipurangi. Ka mārama ahau, ko taku haumarutanga te mea nui ki tōku whānau.
  I will tell a trusted adult if anyone online makes me feel uncomfortable, sad, or unsafe. I will recognise that my safety is more important to my family than anything else.

Ka whaiwhakaaro
I will think first

- Ka wairua popore, māhaki hoki aku kōrero i te ipurangi, me taku waea pūkoro. Ka kore au e whakapōrearea, whakaiti, whakaweti rānei i ētahi atu.
  I will communicate considerately when I use the internet or my cellphone. I will not tease, embarrass, or bully others.

- E mārama nei au, he taiao tūmatawhānui te ao ipurangi, ā, ka whakaute i a au anō, me ngā tāngata katoa, i a au ka noho ki taua ao.
  I know that the internet is public, and I will respect myself and others when I'm using it.

- Ka kore au e whakataruna ānō nei nāku tētahi mea i hanga, mēnā ehara i a au.
  I will not pretend that I created something that's not actually my own work.

Ka taurite
I will stay balanced

- Kei te mārama au, ehara i te mea he pono ngā mea katoa ka pānuihia, rangona, kitea rānei i te ipurangi.
  I know that not everything I read, hear, or see online is true.

- Ka whakaute i ngā whakatau a tōku whānau e pā ana ki ngā mea e pai ana kia mātakihia e au, tākarohia e au, rangona e au, me ngā wā tika kia pēnā.
  I will respect my family's decisions for what I'm allowed to watch, play with, or listen to, and when.

- Ka noho pārekareka, kaingākau tonu ki a au ngā mahi, me ngā tāngata o tōku ao, i waho i te ao matihiko.
  I will continue to enjoy the other activities – and people – in my life, outside of the digital world.

Ka whakaae tōku whānau . . .

My family agrees to . . .

- Kia whakaae, kia mārama hoki he mea nui te hangarau ki a au, ahakoa ka kore rātou e tino mōhio nā te aha i pēnā ai.

  Recognise that technology is a big part of my life, even if they don't always understand why.

- Kia kōrero mai ki a au i ō rātou māharahara, he aha hoki ngā pūtake o aua māharahara, i mua i te kī 'e kāo'.

  Talk with me about what worries them and why, before saying 'no'.

- Kia kōrero mai ki a au mō ngā mea pārekareka ki a au, me te āwhina i a au ki te kimi i ngā mea e tika ana hei torotoro māku, e whakangahau ana hoki i tōku ngākau.

  Talk to me about my interests and help me find stuff that's appropriate and fun.

15. MAHI MĀRA
GARDENING

KŌRERO WHAKATAKI
INTRODUCTION

Kids have a natural curiosity regarding flowers, plants, and gardens, both cultivated and uncultivated. Gardening has been a traditional economic activity of the Māori for centuries, so it is rich with colourful and poetic language, and learning opportunities.

KUPU WHAI TAKE
HANDY WORDS

Kauhuri	*Turn over (soil)*
Paioneone	*Clod (of soil)*
Haumako	*Fertile*
Whakahaumako	*Fertiliser*
Tātā	*Stem*
Kākano	*Seed*
Whakatō	*Plant seeds*
Hauhake	*Harvest*
Autara	*Cut branches off*
Ngahoro	*Crumble (soil)*
Ngaki (1)	*Remove weeds*
Ngaki (2)	*Tend to garden/Plant*
Māheuheu	*Weeds*
Huti	*Pluck*
Kato	*Pick*
Tītōhea	*Infertile*

Gardening has been a traditional economic activity of the Māori for centuries, so it is rich with colourful and poetic language, and learning opportunities

Tipu (1)	*Plants*
Tipu (2)	*Grow*
Rākau	*Tree*
Uho	*Heart of tree or plant*
Wairākau	*Compost*
Matomato	*Flourish*
Makuru	*Abundant*
Kōmore	*Tap root*
Pakiaka	*Root*
Hiako	*Bark*
Kāpeka	*Branch*
Hiwi	*Dead branch*
Puanga	*Dry branch*
Rākau pūaha	*Hollow tree*
Tāuwhiuwhi	*Sprinkle water*
Tawau	*Juice of plants*
Tahe	*Sap of tree*
Pia	*Gum*
Rau	*Leaf*
Manahua	*Be open of flower*
Ngongo	*Nectar*
Putiputi	*Flower*
Kō	*Spade*
Purau/Rakuraku	*Rake*
Kakau	*Handle*
Kari	*Dig*
Pārekereke	*Seedling bed*
Tiriwā	*Plant at wide intervals*
Tanu	*Bury*
Kōkihi	*Beginning to grow*
Tinaku	*Sprouting*
Māra weto	*Garden with stunted growth*
Hūtoitoi	*Stunted/Grow weakly*
Kōpuka	*Spongy*
Parahanga	*Rubbish*

RERENGA WHAI TAKE
HANDY PHRASES

Description (*He*)

He āhua hūtoitoi ā tāua tipu, nē?	*Our (your and my) plants are not growing that well, eh?*
He māra weto tēnei, me whakahou	*There's no growth in this garden, it needs a make-over*
He pārekereke haumako tēnei	*This is a rich seedling bed*
He ātaahua ngā putiputi o tā tāua māra	*The flowers in our (your and my) garden are beautiful*
He kō pai tēnei mō te kari oneone	*This is the perfect spade for digging soil*
He mārō te one nei	*This ground is hard*
He maroke te one nei	*This ground is dry*
He rawe te mahi māra	*Gardening is fun*

Location (*Kei hea/I hea?*)

Kei hea ngā kākano hei whakatō mā tāua?	*Where are the seeds for us both to plant?*
Kei roto te whakahaumako i te wharau, tīkina mai koa!	*The fertiliser is in the shed, fetch it please!*
Kei hea te purau?	*Where is the rake?*
I roto i te māra te tini o ngā māheuheu	*There were heaps of weeds in the garden*
Kei hea te wāhi pai mō tā tāua māra?	*Where is the best place for our (your and my) garden?*
Kei hea ō kamupūtu?	*Where are your gumboots?*
Kei hea ō komo māra?	*Where are your gardening gloves?*
I hea koe i te wā o te mahi māra?	*Where were you during gardening time?*

Command (Should = *Me*)

Me kauhuri te one, kia pai ai te whakatō kākano	*You should turn the soil, so you can plant the seeds*
Me tāuwhiuwhi ki te wai	*You should sprinkle with water*
Me kari pārekereke i te tuatahi	*First and foremost, let's dig a seedling bed*
Me whakatō ngā kākano ināianei	*Plant the seeds now*
Me tanu ngā kākano ki te one	*Bury the seeds with soil*
Me ngaki tāua i te māra	*Let's (you and I) go and tend the garden*
Me horoi koe i ō ringaringa, he paru	*Wash your hands, they are dirty*

Command (Don't = *Kaua/Kāti*)

Kaua e takahi haere ki runga i ngā tipu!	*Don't walk around on the plants!*
Kaua e whakatoromi!	*Don't drown them!*
Kaua e whakatō ki wāhi whakamaru, ka kore e whitikina e te rā!	*Don't plant them in shady areas, they will get no sunshine!*
Kaua e tiriwā rawa, me piritata kē	*Don't plant them at wide intervals, plant them close together*
Kaua e waiho kia maroke, me tāuwhiuwhi tonu ki te wai	*Don't leave them to dry out, water them continously*
Kāti te raweke i te kō, he koi tōna mata	*Stop playing with the spade, it has a sharp edge*
Kaua e whāwhā i te tahe o te rākau, ka hāpiapia ō ringaringa	*Don't touch the sap of the tree, your hands will get sticky*
Kaua e whāwhā i te wairākau, ka haunga ō ringaringa	*Don't touch the compost, your hands will get stinky*

Command (Do = *Kia/E*)

Kia āta mirimiri i ngā pakiaka, kia ngahoro mai ai he one	*Gently massage the roots so some of the soil falls away*
Kia āta tuku ki te rua	*Gently place it in the hole*
Kia tere te whāngai ki te wai me te whakahaumako	*Quickly feed it with water and fertiliser*
Kia kaha te tiaki i te papa mautī, kia noho taru kore tonu	*Look after the lawn, so it remains weed free*
Kia tere te pōtarotaro i ngā pātītī	*Hurry up and mow the long grass*
Kia nui te wai ki ērā	*Give those (over there) heaps of water*

Action phrase (Future tense = *Ka/Ki te . . . ka . . .*)

Āpōpō ka tango haere i ngā māheuheu kia wātea ai te one mō ngā tipu hou	*Tomorrow, we will remove all the weeds so the soil is clear to plant some new plants*
Ki te waiho ngā māheuheu, ka rāoa ngā hua whenua	*If we leave the weeds, the vegetables will get the life choked out of them*
Ki te kore e āta whakatōkia, ka hūtoitoi te tipu	*If we don't plant correctly, they won't grow properly*
Ka whāngaihia ki te whakahaumako, kia wana ake anō ai	*We will feed it fertiliser so it regenerates*
Ki te whitikina e te rā, ka kaha ake te tipu	*If it gets sunshine, it will grow better*
Ka tāuwhiuwhi koe i ngā tipu hou i te ata nei?	*Are you going to water the new plants this morning?*
Ki te matomato te tipu, ka harikoa a Pāpā	*If they flourish, father will be very happy*
Ka hoko hua whenua mō te māra i te rā nei	*We will buy some vegetables for the garden today*

Action phrase (Present tense = *Kei te . . .*)

Kei te kauhuri au i ngā paioneone	*I am turning over the soil clods*
Kei te ruirui whakahaumako ia ki te māra	*He/She is sprinkling fertiliser on the garden*
Kei te whawhati au i ngā tātā o te korare	*I am breaking the stalks of the silverbeet*
Kei te ngaki ngā tamariki i te māra	*The children are tending the garden*
Kei te kī ngā hua whenua i ngā ārai āpiti hāora	*Vegetables are full of antioxidants*
Kei te kato putiputi koe?	*Are you picking flowers?*
Kei te hauhake ngā tamariki i ngā kūmara	*The kids are harvesting the sweet potato*
Kei te kai rōpere koe, kei te kato rōpere rānei?	*Are you eating strawberries or are you picking them?*
Kei te huti au i ngā māheuheu kia tūperepere ai te tipu o ngā tipu	*I am clearing away the weeds, so the plants can grow vigorously*

Action phrase (Have/Has = *Kua*)

Kua kato koe i ngā tomato?	*Have you harvested the tomatoes?*
Kua kohi au i ngā parahanga hei wairākau	*I have collected all the waste to make compost*
Kua makuru te kai, nā te angitu o te māra	*We have an abundance of food because our garden was a success*
Kua whati te kōmore, koia e raru nei te tipu	*The tap root has snapped, that's why it's not growing*
Kua tīmata te ngahoro mai o ngā rau, kua Ngahuru	*The leaves have begun to fall, it's Autumn*
Kua kōkihi ngā kākano nāu anō i whakatō	*The seeds you planted have started to grow*

Kua hutia e au ngā hiwi o te Ponga	*I have removed the dead branches from the tree fern*

Action phrase (Past tense = *I*)

I puta he painga i ngā noke i tukuna ki te māra?	*Did the worms that were put in the garden do any good?*
I kōputaputa te one i te kari rua a ngā noke	*The worms made lots of holes in the soil from their digging*
I paoa ngā pūngāwerewere ki te angamate o te kō	*I bashed the spiders with the reverse side of the spade*
I tiriwā tō whakatō i ngā kāroti?	*Did you space out the planting of the carrots?*
I ora te whānau i te mahi māra hua whenua	*The family received sustenance from the vegetable garden*

ĒTAHI ATU RERENGA KŌRERO WHAI TAKE
OTHER HANDY PHRASES

Ko te mahi tuatahi he ngaki i te māra	*First thing to do is weed the garden*
Kātahi ka kauhuri i te oneone	*Then we turn over the soil*
Mēnā kei te tipuria te māra e te māheuheu, hutia!	*If there are weeds growing in the garden, pull them out!*
Porowhiua atu ngā parahanga ki rahaki	*Throw the rubbish (weeds, etc.) to the side*
Mā ngā noke e pai ake ai te āhua o te oneone	*Worms improve the condition of the soil*
He pai te wairākau hei kai mā ngā tipu	*Plants love to eat compost*
He pai te whakahaumako hei kai mā ngā tipu	*Plants love to eat fertiliser*
He pai te hamuti hōiho hei kai mā ngā tipu	*Plants love to eat horse manure*

WHAKATAUKĪ
PROVERBS

He kai kei aku ringaringa
I can produce my food with my own hands

He kai tangata, he kai tītongitongi kakī; he kai nā tōna ringa, tino kai, tino mākona noa
Food from another is little and stinging to the throat; food of a person's own getting is plentiful, sweet, and satisfying

He toa tauā, mate tauā; he toa piki pari, mate pari; he toa ngaki kai, mā te huhu tēnā
The warrior is killed in war; the fearless scaler of lofty cliffs (in search of sea-fowl) is dashed to pieces; the industrious gardener lives long and dies peacefully of old age

HE NGOHE-Ā-WHĀNAU
WHĀNAU ACTIVITIES TO MAKE GARDENING A MĀORI LANGUAGE DOMAIN

....

 NGOHE-Ā-WHĀNAU TUATAHI
FAMILY ACTIVITY 1
....

Whakatipu kūmara – Growing kūmara

Hātepe tuatahi – Step one

Ka huri koutou ki te kai i ngā kūmara, tiakina ngā pito. Tapahia kia āhua 3 cm te roa o ngā pito.

Keep the ends of your sweet potato when you cut them up. Try to leave at least 3 cm of sweet potato flesh intact.

Hātepe Tuarua – Step Two

Werohia ngā kōripi ki ētahi kape niho, kātahi ka whakairihia ki runga oko wai pāpaku, ko te taha kikokiko e anga whakararo ana. Tukuna te oko ki tētahi wāhi pūrangiaho, engari kaua ki te wāhi e whitikina rawatia ana e te rā. Taihoa ake, ka kī haere te oko i ngā pakiaka hou.

Put toothpicks around the slice and suspend above a shallow bowl of water, flesh-side down. Put the bowl in a bright spot, but not in direct sunlight. Pretty soon roots will fill the bowl.

Hātepe Tuatoru – Step Three

Topea ngā kōripi kia tūtanga.

Cut the slice into segments.

Hātepe Tuawhā – Step Four

Waiho ngā tūtanga kia āhua maroke i te hau takiwā.

Leave the segments out on a tray to air dry.

Hātepe Tuarima – Step Five

Whakatōkia ēnei tūtanga ki tētahi ipu, pakiaka e anga whakararo ana, 10 cm te hōhonu o te whakatō. Me pūareare te ipu kia rere noa ai te wai.

Plant the segments, roots down, about 10 cm deep into a container. The container should have good drainage so make sure there are lots of holes in the bottom.

Hātepe Tuaono – Step Six

Kia rite tonu te tāuwhiuwhi ki te wai, engari kaua e nui rawa, kei pirau. Kia hipa ētahi wiki, ka kitea ngā tipu kūmara e pihi ake ana.

Water regularly, but don't over water as you may cause the kūmara segments to rot. You'll see the kūmara plants start to emerge from the soil in a few weeks' time.

··

▶ **NGOHE-Ā-WHĀNAU TUARUA**
FAMILY ACTIVITY 2

··

Peita Ipu Tipu – Planter Painting

Me whai ēnei taputapu:	*You will need*:
Peita tioka	*Chalkboard paint*
Niupepa, tauera tawhito rānei	*Newspaper or old towels*
Ipu tipu	*Plant pots*
Taitai peita	*Paintbrush*
Whakahaumako	*Fertiliser/Potting mix*
Tipu	*Plants*

Hātepe Tuatahi – Step One

Me peita i ngā ipu – ka rere te peita ki wīwī, ki wāwā, nō reira me mau kākahu tawhito, kanukanu rānei, me mau pare rānei ngā tamariki. Kia maumahara, he peita 'tūturu' te peita tioka, e kore e mahea i te horoi ki te wai māori. Horahia he niupepa, he tauera tawhito rānei ki te papa hei hopu i te peita ka maringi mai.

Paint the pots using chalkboard paint. The stuff will get everywhere, so be sure to wear old worn-out clothes or an apron. Remember, chalkboard paint is 'real' paint and doesn't come off in water. Make sure you lay out some newspaper or old towels to catch the drips.

Hātepe Tuarua – Step Two

Waiho mō te pō kia maroke ai. Whakamahia he tioka ki te tuhi aha ki runga i ngā ipu.

Leave to dry overnight. The kids can then draw whatever they wish on them with chalk.

Hātepe Tuatoru – Step Three

Whakakīa ki te whakahaumako, kātahi ka whakatō i ngā tipu.

Fill the containers with potting mix and fertiliser, then pot up your plants.

Hātepe Tuawhā – Step Four

Tukuna ō tipu hou ki tētahi wāhi e whitikina ai e te rā. Kaua e wareware ki te tāuwhiuwhi ki te wai i ētahi wā. Ki te hiahia ngā tamariki ki te tuhi mea hou ki runga i ngā ipu, māmā noa iho te ūkui i te tioka, ka tuhi mea hou ai.

Display your lovely pots somewhere sunny and remember to water them every now and then. The kids can wash the chalk off with water and draw something new on the pots whenever they fancy.

NGOHE-Ā-WHĀNAU TUATORU
FAMILY ACTIVITY 3

Toi Māra – Garden Art

Me whai ēnei taputapu:	*You will need:*
Peita rehu	*Spray paint*
Peita kiriaku	*Acrylic paints*
Kuti tīwara/Kuti taikaha	*Tin cutters/Strong scissors*
Komo ringa	*Gloves*
Kāho inu mirumiru kua pau te inu	*Empty drink cans*

Hātepe Tuatahi – Step One

Mā te pakeke tēnei wāhanga o te mahi e mahi. Tapahia te upoko o te kāho ki ngā kuti tīwara. Kātahi ka kōwharawhara te tapahi i te tinana o te kāho tae atu ki te tāmoremoretanga. Ko te whāinga kia tāpapa te takoto o te kāho, me he rau putiputi.

This part of the activity is best done by an adult. Cut the top of the fizzy drink can off using your tin snips. Then cut strips down the body of the can to the bottom, cutting into the bottom so that the strips lay flat, like the petals of a flower.

Hātepe Tuarua – Step Two

Peitahia ki te peita rehu. Kia rerekē pea ngā tae. Kei a koe te tikanga mēnā ka mahia tēnei mahi e ngā tamariki.

Give them a good coat of spray paint. Choose different colours. It's up to you if you let the kids do this part.

Hātepe Tuatoru – Step Three

Kia maroke rā anō te peita rehu, tangohia mai ngā peita kiriaku. Mea atu ki ngā tamariki kia peita ngā rau o ngā 'putiputi' ki te tae e pai ana ki a rātou. Me tuhi tauira hoki ki runga i ngā rau. *Once the spray paint dries, pull out the acrylic paints and instruct the kids to paint the petals of the 'flowers' with whatever colours they like. Encourage them to create various designs on the flowers.*

Hātepe Tuawhā – Step Four

Kia maroke rā anō, kātahi ka whakamahia te kāpia, te aha rānei, ki te whakapiri i ngā putiputi rino nei ki ētahi tūrawa, tumu rānei, ka poua ki te māra hei putiputi ātaahua! *Once dry, glue or attach the tin flowers to a stick or a piece of dowelling, and push into the soil of the garden, so they stand upright as a beautiful artistic addition to your garden.*

16. MAHI-Ā-KĀINGA
CHORES

KŌRERO WHAKATAKI
INTRODUCTION

If you skipped straight to this chapter, don't feel bad. We've often seen parents' eyes light up when we've said the magic words 'chore chart' in our wānanga too! Here's to all our tamariki willingly doing their chores from now on just because you asked them in Māori rather than English. (There is no money-back-guarantee on that particular statement – but you never know!)

KUPU WHAI TAKE
HANDY WORDS

Pūhangaiti	Tidy
Nahanaha	In good order/Well-organised
Tīwekaweka	Messy
Paru	Dirty
Whakapaipai	Tidy up
Mā	Clean
Horoi	Wash
Muku/Ūkui	Wipe/Rub
Whakairi	Hang
Tahitahi	Sweep
Whakapīata	Polish
Āka	Scrub
Hautai	Sponge
Whakamaroke	Dry
Pūrere whakamaroke	Dryer

Here's to all our tamariki willingly doing their chores from now on just because you asked them in Māori rather than English!

Haeana	*Iron*
Papa haeana	*Ironing board*
Hīti	*Sheets*
Moenga	*Bed*
Takapau	*Mattress*
Hororē/Ngote puehu	*Vacuum cleaner*
Pūrere horoi maitai	*Dishwasher*
Wai horoi	*Detergent*
Pūrere horoi	*Washing machine*
Rehu horoi	*Laundry detergent*
Wai pīngohe	*Fabric softener*
Ipu para	*Rubbish bin*
Pūtē weru	*Clothes basket*
Waihoroi matapihi	*Window cleaner*
Puka heketua	*Toilet paper*
Taitai heketua	*Toilet brush*
Taipuehu	*Dustpan*
Whakatoki	*Bleach*
Pukamuku	*Paper towels*
Hūtahi	*Sponge mop*
Taitai puehu	*Feather duster*
Riringi wai	*Watering can*
Kōhua	*Pot*
Tauera/Tauwera	*Towel*
Hautō	*Drawer*
Huakita/Kitakita	*Bacteria*

KEI WAHO I TE WHARE
OUTSIDE THE HOUSE

Pūrere pōtarotaro	*Lawn mower*
Huripara	*Wheelbarrow*
Pākoro	*Garden shed*
Kō/Tākoko	*Shovel/Spade*
Tārawa	*Clothesline*

Mātiti	*Clothes peg*
Purau/Rakuraku	*Rake*

RERENGA WHAI TAKE
HANDY PHRASES
Belonging to (*Ko/Nā/Nō*)

Nō wai tēnei taiwhanga tino pūhangaiti?	*Who does this very tidy bedroom belong to?*
Ka nui taku manawareka ki te āhua!	*I'm so pleased with how it looks!*
Nō wai ēnei tarau roto? Kua horoia?	*Whose undies are these? Have they been washed?*
Nā Rikihana te pouaka kai nei – tukua i ngā kongakonga kai ki te ipu para	*This is Rikihana's lunchbox – put the food crumbs in the bin*
Nāu ngā pene whītau nei, whakahoki ki te wāhi tika	*These felt pens are yours, put them back in their proper place*
Nā wai ēnei pukapuka e noho rāwaho ana i te kaumanga?	*Whose books are these looking out of place in the bathroom?*
Nā kōrua tēnei rārangi mahi	*This list of jobs is for you two*
Nōu te taiwhanga nei, māu e whakapaipai	*This is your bedroom, you clean it up*
Ko aku pepa mahi ēnei, māku e whakahoki, kia nahanaha ai	*These are my work papers, I'll put them back so they're well organised*

Description (*He*)

He tīwekaweka tēnei kāuta, mā wai ngā kōhua e horoi?	*This kitchen is a mess, who will wash the pots?*

He makawe pūtikitiki kei te waiputa	*There's knotted hair in the drain*
He tino mā ngā matapihi ināianei, koia kei a koe, e te tau!	*The windows are very clean now, you're the best, my darling!*
He rawe ki a au te takoto ki runga hīti mā	*I love lying on clean sheets*
He uaua rawa te whakairi kākahu ki te tārawa?	*Is it too hard to hang the clothes on the line?*
Māku koe e āwhina, tīkina ngā mātiti	*I'll help you, grab the clothes pegs*
He pai te whakatū i te papa haeana, engari me tūpato koe ki te haeana, he tino wera	*It's ok for you to put up the ironing board, but be careful with the iron, it's very hot*
He rehu horoi tēnei, ka pēnei te riringi atu ki te pūrere horoi kākahu	*This is laundry detergent – you pour it into the washing machine like this*
He māmā noa iho te whakakī i te pūrere horoi maitai	*It's easy to fill up the dishwasher*
He poapoa riko ki tō tīhate? Me horoi ki te wai whakatoki	*There's a stain on your T-shirt? Better wash it with bleach*
He taitai puehu ki te kāpata, whakamahia ki ngā paenga pukapuka	*There's a feather duster in the cupboard, use it on the bookcases*
He mōrearea te pūrere pōtarotaro	*The lawn mower is dangerous*

Location (*Kei hea/I hea?*)

Kei hea ō tōkena? I tōna tikanga, nāu i whātui, i tuku ki te hautō	*Where are your socks? You were supposed to have folded them, and put them in the drawer*

Kei runga i te tūpapa ngā pukamuku	*The paper towels are on the bench*
I roto te kurī i tō taiwhanga moe, kua haunga ināianei!	*The dog was in your bedroom, it smells now!*
Kei roto te huripara i te pākoro	*The wheelbarrow is in the garden shed*
Kei hea ngā tauwera paru?	*Where are the dirty towels?*
Kei muri i tō moenga? Auē, ānō he ruapara!	*Behind your bed? Oh no, it looks like a rubbish dump!*
Kei hea ngā tauwera rīhi? Me noho wehe i ngā tauwera tinana	*Where are the teatowels? They have to stay separate from the towels used for our bodies*
Kei te mahau te tahitahi	*The broom is on the deck/ porch*
Kei muri i te heketua ka kite koe i te taitai heketua, hei āka i te tiko e piri ana ki te taha	*Behind the toilet you'll see the toilet brush, which is to scrape the poo that's stuck on the side*
Kei te newanewa aku kākahu, he tino pai te wai pīngohe hou!	*My clothes are soft, that new fabric softener is great!*

Command (Should = *Me*)

Me whakapai koe i tō moenga i mua i te haere ki te kura	*You should make your bed before you go to school*
Me tuku ngā kākahu ki te pūrere whakamaroke, kei te ua tonu	*You should put those clothes in the dryer, it's still raining*
Me āwhina koe i a mātou, kaua e karo i ngā mahi whakapaipai	*You should help us, don't avoid the clean up*
Me āta kotē i te wai horoi, kia kore ai e moumou	*Gently squeeze the detergent out so you don't waste it*

Me whakanui tātou i te pai ō ā koutou mahi whakapai whare! He tino pūhangaiti te whare!

We should celebrate the amazing job you did cleaning the house! The house is so tidy!

Me horoi koe i ngā kākahu katoa i te pūtē, kaua e tīpako i ō kākahu anake

You should clean all of the clothes in the basket, don't just pick out your own

Me mahi tahi tātou, kia pūhangaiti anō ai te āhua o tēnei taiwhanga

We should work together, in order to get this room looking tidy again

Me mihi au ki a koe ka tika! Kua horoi i tāu pouaka kai, kua whakamaroke hoki, ka mau te wehi!

I really should thank you! You've washed your lunchbox, and dried it too, awesome!

Me whakarite hēteri mō te rima meneti – ka taea rānei e tātou te kohikohi i ēnei taputapu katoa i mua i te reo tangi o te hēteri? Me mutu āu mahi whakapai whare i mua i te tākaro

We should set an alarm for five minutes – can we all gather these things before the alarm goes off? You should finish your chores before you play

Command (Don't = *Kaua/Kāti*)

Kāti te amuamu, he mahi pārekareka te horo puehu!

Stop moaning, vacuuming can be very satisfying!

Kaua e maringi i te waihoroi matapihi

Don't spill the window washing liquid

Kaua e pātai mai 'kei hea aku hū?' ia ata!

Don't ask 'where are my shoes?' every morning!

Ki te whakahoki koe i ō hū ki te whata hū, ka mōhio koe kei hea ō hū!

If you return your shoes to the shoe cupboard, you will know where your shoes are!

Kaua e tīkoro i ō whatu mēnā ka pātai au ki a koe ki te horoi rīhi	*Don't roll your eyes if I ask you to wash dishes*
Kaua e wareware, ki te oti ā tātou mahi whakapai whare katoa, ka wātea ki te puta ki waho, tākaro ai	*Don't forget, if we (all of us) finish all of our chores, we will be free to go outside and play*
Kāti te whakaroaroa, me whakapaipai i te tēpu kai	*Stop delaying, clean up the food table*
Kāti te karo i ngā mahi whakapai whare, ki te pīrangi koe ki te whai pūtea	*Stop avoiding chores if you want to get pocket money*
Kaua e hongihongi i te patu kitakita, he tāoke	*Don't smell the disinfectant, it's poisonous*
Kāti te waiho kākahu ki te papa, ehara tēnā i te tikanga pai	*Stop leaving clothes on the floor, that's not a good habit*
Kāti te tono i a au ki te horoi i ngā mea katoa, ka taea e koe, he nui ō pūkenga!	*Stop demanding that I clean everything, you can do it, you have lots of skills!*

Command (Do = *Kia/E*)

Kia tūpato kei mākū koe!	*Be careful in case you get wet!*
Kia tūpato, ka horomia koe e taua maunga kākahu e tū ana ki tō taiwhanga!	*Be careful, you'll be swallowed up by that clothes mountain standing in your room!*
Kia kite koe i te taputapu tākaro e takoto ana ki te papa, kohia ake! Kaua e waiho tonu ki te papa	*If you see some toys lying on the ground, pick them up! Don't just leave them on the floor*
Kia kaha! Kua tata oti ngā mahi!	*Keep going! The job is nearly finished!*

Kia tere, kāore e roa, ka oti!

Hurry up, won't be long before it's all done!

Action phrase (Future tense = *Ka/Ki te . . . ka*)

Ki te āta horoi i te tūpapa, ka kore ngā kitakita e tipu

If the bench is carefully cleaned, bacteria won't grow

Ki te whakapaipai i tēnei taiwhanga, ka mōhio kei hea āu taputapu

If you clean this room you'll know where all your things are

Ki te whakaoti i tētahi mahi, me tohu ki te mahere whakapai whare

If a job is completed, tick it off the chore chart

Ki te whakaoti i ngā mea katoa i te mahere, ka riro māu te kai o te pō e kōwhiri

If all the jobs on the chart are completed, you get to choose what's for dinner

Ki te kore koe e āwhina mai, ka matangurunguru ahau

If you don't help me I'll be disappointed

Ki te tuku i ēnei kākahu ki te pūrere whakamaroke, kāore he take mō te haeana!

If these clothes go into the dryer, there's no need to iron them!

Ki te horoi koe i taku waka, ka whai koe i te rima tāra

If you wash my car, you'll get five dollars

Ka oti i te wā poto, ki te mutu āu amuamu

It will be finished in no time if you stop complaining

Ka rongo haunga koe mēnā he puehu kei raro i tō moenga

You'll smell something yucky if there's dust under your bed

Ki te kore koe e pīrangi ki te whātui kākahu, me tiki kē i te taipuehu kē

If you don't want to fold washing, go get the dustpan instead

Action phrase (Present tense = *Kei te . . .*)

Kei te whakamiha au i tāu āwhina mai!	*I really appreciate your help!*
Kei te āwhina tātou i a tātou, he mea tino nui tēnā!	*We're helping each other, that's something very special!*
Kei te tino pukumahi koutou, nē!	*You (3 or more) are very busy aren't you!*
Kei te mōhio koe me pēhea te whakahaere i te pūrere pōtarotaro?	*Do you know how to run the lawn mower?*
Kei te moumou pukamuku koutou, kaua e tiki puka hou mēnā he mā tonu	*You (3 or more) are wasting paper towels, don't get another one if it's still clean*
Kei te mahi tahi kōrua?	*Are you two working together?*
Kei te rakuraku koe i ngā rau katoa? Kei te waiho rānei ētahi hei kākahu mō Papatūānuku?	*Are you raking up all the leaves? Or leaving some behind to clothe Papatūānuku?*
Kei te pīataata ngā matapihi ināianei!	*The windows are sparkling now!*
Kei te rongo koe i taua haunga kurī?	*Can you smell the stench of the dog?*
Ko tāu mahi i te rā nei, he horoi i a ia!	*Your job today is to wash him!*
Kei te engaenga te pūtē weru, me horoi kākahu!	*The washing basket is overflowing, we need to do some washing!*

Action phrase (Have/Has = *Kua*)

Kua tīwekaweka anō te taiwhanga moe nei!	*This bedroom is messy again!*
Te āhua nei kua piri te hūwareware ki tāu pīkau	*Looks like the slime has stuck to your backpack*

Kua nahanaha katoa ngā hautō, koia kei a koe!	*The drawers are very organised, good on you!*
Kua mau tō iro? Ki te waiho kākahu ki te papa, ka tapepe, ka hinga koe!	*Have you learned your lesson? If you leave clothes on the floor, you'll trip and fall!*
Kua horoi i te heketua, te puna kaukau, me te oko horoi i te kaumanga?	*Have you cleaned the toilet, the bath, and the wash basin in the bathroom?*
Kua hāwaniwani te umu i te hinu	*The oven has gone slimy with grease*
Kua mate koe ki te muku anō i te tūpapa, mahia kia tika!	*You will have to wipe the bench again, do it properly!*
Kua ngaro te poapoa!	*The stain has disappeared!*
Kua waia kē koe ki te whakapai moenga ia ata, he rawe tēnā!	*You've already got used to making your bed every morning, that's awesome!*
Kua whāngai koe i te ngeru?	*Have you fed the cat?*

Action phrase (Past tense = *I*)

I whakahoki koe i ngā maitai katoa?	*Did you put all the dishes back?*
I tuku wai horoi i roto i te pūrere horoi?	*Did you put laundry detergent in the washing machine?*
I whakatutuki i ngā mahi katoa i te mahere whakapai whare?	*Were all the tasks on the chore chart completed?*
I horoi koe i ngā kokonga o te uwhiuwhi?	*Did you wash the corners of the shower?*
I whāngai koe i ngā mōkai katoa i te ata nei? Koia tāu mahi i ngā rā o te kura, nē?	*Did you feed all the pets this morning? That's your job every school day, isn't it?*

I whai ia i te tekau tāra mō ana mahi whakapai whare i tēnei marama
He/She got $10 for his/her chores this month

I tīnihia ngā hīti
The sheets were changed

I tunu koe i tēnei kai? Kātahi nā te hākari ko tēnei!
Did you make this meal? What an outstanding feast!

I tuku koe i te tātari ki te pūrere horoi maitai?
Did you put the colander in the dishwasher?

I tōna tikanga me horoi-ā-ringa, kaua e māngere!
It should be washed by hand, don't be lazy!

I pai tana waiaro i a ia e whakapai whare ana?
Did he/she have a good attitude while doing chores?

ĒTAHI ATU RERENGA WHAI TAKE
OTHER HANDY PHRASES

Āwhina mai
Help me

Tīkina
Fetch

Whakahokia
Put it back

Kohia
Collect up

Kei a wai te wā mō te whakamaroke maitai?
Whose turn is it to dry the dishes?

Mā wai te papa e tahitahi?
Who will sweep the floor?

E maninohea ana te āhua o te pouaka mātao
I'm disgusted at the state of the fridge

Auē, te paru hoki!
Ew yuck, so dirty!

Kōpirohia te kōhua, kei te piri tonu te kai
Soak the pot in water, the food is still stuck on

Me horoi ki roto i te ngaruiti, ki runga, ki raro hoki
You should clean the inside of the microwave, on top and below too

Koirā te mate o te karo i te whakapai whare, kua wātea rātou ki te tākaro, engari anō koe!
That's the problem with avoiding chores, they (3 or more) are all free to play, but you're not!

WHAKATAUKĪ
PROVERBS

Mā pūhangaiti, ka kore a tīwekaweka
Tidiness is the enemy of untidiness

Mā whero, mā pango ka oti ai te mahi
With red and black the work will be completed
This refers to co-operation where, if everyone does their part, the work will be completed.

He kokonga whare e kitea, he kokonga ngākau e kore e kitea
You may detect a flaw in a house, you cannot a flaw in the human heart

HE NGOHE-Ā-WHĀNAU
WHĀNAU ACTIVITIES TO MAKE CHORES
A MĀORI LANGUAGE DOMAIN

If chore charts work for your whānau, here's a couple of options. We have also used taupānga – downloadable apps that are easy to customise. The first option is a list of age-appropriate chores to get the creative juices flowing – or is that the 'ordered' juices flowing?

The second is a chore chart format you can use and adapt with some chores you agree to from the age-appropriate list. We found we needed one just for morning routines!

MAHI WHAKAPAI WHARE CHORES
Tika mā ia reanga – *Age appropriate*

2 - 4
* Whakangaro puehu – *Dusting*
* Whāinu i ngā tipu – *Water plants*
* Whakamau kākahu – *Get dressed*
* Opeope maringitanga – *Wipe up spills*
* Whakahoki i ngā pukapuka – *Put books away*
* Whakahoki i ngā taputapu tākaro – *Put toys away*
* Tangohia aku kākahu mō te wā horoi – *Take clothes off before bath*
* Waku niho (ka āwhina mai tētahi pakeke) – *Brush teeth (an adult will help)*

5 - 7
* Ngā mahi katoa ō runga – *All the above chores*
* Tuku i ngā kākahu paru ki te pūtē weru – *Put dirty clothes in basket*
* Āwhina ki te whakakī i te pūrere maitai – *Help load dishwasher*
* Āwhina ki te tuku kai ki ngā kāpata – *Help put groceries away*
* Āwhina ki te whakarite i te tēpu kai – *Help set table*
* Whakapai taiwhanga moe – *Tidy bedroom*
* Rakuraku rau – *Rake leaves*
* Whakapai moenga – *Make bed*
* Tiki reta – *Bring in mail*
* Whāngai mōkai – *Feed pet*

8 - 12
* Ngā mahi katoa ō runga – *All the above chores*
* Tuku i te para ki waho – *Put the rubbish out*
* Āwhina ki te tunu kai – *Help prepare meals*
* Whātui kākahu – *Fold laundry*
* Whakahīkoi mōkai – *Walk pet*
* Horoi matapihi – *Wash windows*
* Tiaki i ngā akuaku o te tinana – *Personal hygiene*
* Whakapaipai ā muri i te wā kai – *Clean up after meals*
* Āwhina ki te tahitahi/ngote puehu i te papa – *Help to sweep/vacuum floors*
* Whakakī/whakapiako pūrere horoi maitai – *Load/Empty the dishwasher*

Rangatahi - *Teenagers*
* Ngā mea katoa ō runga – *All the above chores*
* Whakapai i te whare – *Clean the house*
* Horoi i te waka ō te whānau – *Wash the family car*
* Tunu kai mā te whānau – *Cook meals for the whānau*
* Āwhina ki te whakapōtarotaro i te mauti – *Help to mow the lawns*

Maia – *Name*	Rāhina	Rātū	Rāapa	Rāpare	Rāmere	Rāhoroi	Rātapu
Whakarite mō te kura – *Ready for school* kākahu, niho, pīkau – *clothes, teeth, bag*							
Whakapai moenga – *Make bed*							
Whakapai taiwhanga – *Clean room*							
Mahi kāinga – *Homework*							
Whāngai mōkai – *Feed pet*							
Whakarite tēpu kai – *Set table*							
Āwhina ki te horoi maitai – *Help do dishes*							
Tuku kākahu ki te pūtē weru – *Put clothes in basket*							
Whakarite mō te moe – *Ready for bed* horoi, niho, kahumoe – *wash, teeth, pyjamas*							

263

17. KĪWAHA
IDIOMS AND SLANG

Māori speakers love using idioms, colloquialisms, and slang. This, however, can be problematic for someone new to the Māori language because these expressions usually have a specialised meaning known only by the group of people or tribe that created them.

New idioms and colloquial expressions are being created every day. You and your whānau will even create your own unique terms that only you and your whānau will understand – the more te reo Māori you use together the better!

Idioms are symbolic of conversational language and, to some degree, indicate the health and current vitality of a language. They generally have a figurative meaning completely separate from the literal meaning or definition of the words, leaving most of us scratching our heads and wondering, 'What on earth did he or she mean by that?!'

Let's look at this example from the English language: 'It's raining cats and dogs.' If I were to utter this particular idiom to someone who knew very little English, they would probably look to the sky and wait for this miraculous event to happen. So I'd have to explain to this person that 'raining cats and dogs' figuratively means that it's raining very heavily.

In this chapter, we are going to demonstrate how to use some well known idioms by using mock conversations you may have with your children.

Idioms, colloquialisms and slang can be problematic for someone new to the Māori language, because these expressions usually have a specialised meaning known only by the group of people or tribe who created them

WHAKAMIHI/TAUTOKO
ACKNOWLEDGEMENT/SUPPORT

The following idioms are perfect for praising a child or the children for a job well done.

Tino kino te pai!

Māmā! Kua pau i a au aku kāroti

Tino kino te pai, e tama!

Pāpā! Titiro ki taku mahi!
Tino kino te pai!

I pehea te hopuni a te kura?
Tino kino te pai!

Too much!

Mummy! I've eaten all my carrots

Too much, my son!

Daddy! Look at my work!
Too much!

How was the school camp?
Too much!

Koia kei a koe/kōrua/ koutou!

I toa au, Pāpā!
Koia kei a koe, e tama!

I whakawhiwhia au ki te tohu ihumanea
Koia kei a koe!

Kei te haere taku kapa ki te whakataetae-ā-motu
Koia kei a koutou!

You're awesome/ fantastic!

I won, Dad!
You're awesome, my boy!

I was presented the academic certificate
You're fantastic!

My team is going to the nationals
Awesome, you guys!

Tau kē!

I pēhea te kura i te rā nei?
Tau kē!

Me haere tātou ki te kiriata, nē?
Tau kē!

Magnificent!

How was school today?
Magnificent!

Let's (all of us) go to the movies, eh?
Magnificent!

Kei te tunu au i tō tino	*I am cooking your favourite*
Tau kē!	*Magnificent!*

Kāore he painga i a koe/ kōrua/koutou

There's none better than you/you're the best

Kua whātui au i ngā kākahu, Māmā	*I have folded the clothes, Mummy*
Kāore he painga i a koe!	*You're the best!*

E rua aku piro i te rā nei	*I scored two tries today*
Mō te tākaro whutupōro, kāore he painga i a koe!	*At playing rugby, there is none better than you*

E haere ana mātou ki te moe ināianei, Pāpā	*We (3 or more, not you) are going to bed now, Pāpā*
Kāore he painga i a koutou!	*You guys are the best!*

Kei hea mai

Choice

Titiro ki taku pikitia, Māmā	*Look at my picture, Māmā*
Whoa, kei hea mai te ātaahua!	*Whoa, beautiful! Choice!*

Ko te rā whakamutunga tēnei o te wiki kura	*This is the last day of the school week*
Kei hea mai!	*Choice!*

Kei te haere te whānau ki Rotorua	*We, the family, are going to Rotorua*
Kei hea mai!	*Choice!*

Mei kore ake

If it wasn't for/fortunate because of (you)

Nāku a Māmā i āwhina ki te whakarite i ngā māhanga	*I helped Mum get the twins ready*
Mei kore ake koe, kua raru a Māmā, nē?	*If it wasn't for you, Mum would've had difficulty, eh?*

Kei te kōrero tonu kōrua ko tō tamāhine?	*Are you and your daughter still in contact?*
Āe, mei kore ake a Skype i ēnei rā nei	*Yes, fortunately we have Skype these days*
I tata ngaro ngā tamariki ki te ngahere	*The kids nearly got lost in the bush*
Mei kore ake a Matua Te Mete me tana mahere i kite anō ai i te ara	*Fortunately because of Uncle Te Mete and his map, they found the path again*

Mā te aha i tēnā/tēnei
More than adequate/ That will do

Kāore au i toa	*I didn't win*
Engari i tuarua koe, mā te aha i tēnā	*But you came second, that will do*
Kua whakapai koe i tō ruma?	*Have you tidied your room?*
He haurua	*Half of it*
Mā te aha i tēnā, me haere tāua!	*That will do for now, let's (you and I) go*
Nei noa iho te miraka e toe ana	*This is all the milk left*
Mā te aha i tēnā, ka oti tonu taku kapu tī	*That's more than adequate for my cup of tea*

Hoea tō waka
Go for it

Kei te haere au ki te whare wānanga ā tērā tau	*I am going to university next year*
Tau kē! Hoea tō waka!	*Magnificent! Go for it!*
Kei te whakawhiti au ki tāwāhi	*I am going overseas*
Hoea tō waka! Kei konei māua hei taituarā ina tūpono mai he raru	*Go for it! We (him/her and I) are here to support should a problem arise*

Kei te pīrangi au ki te noho ki te akomanga rumaki
I want to go to the immersion unit

Hoea tō waka! Kei te tino harikoa māua
Go for it! We (him/her and I) are very happy (with that decision)

Kei a koe mō te . . .

You are the mantis at . . .

Kua uru au ki te kapa haka o te kura
I have made it into the school kapa haka

Kei a koe mō te haka, e tama!
You are the mantis at haka, my boy!

He tohunga tō tama ki te pānui
Your son is great at reading

Kei a ia mō te panūi, nē?
He's a bit of a gun at reading, isn't he?

Kia kaha koe kōtiro, kei a koe mō te taukumekume!
Go hard my girl, you are the mantis at debating!

Ehara, ehara!

Absolutely!

Kei te haere mai koe ki te konohete a te kura?
Are you coming to the school concert?

Ehara, ehara!
Absolutely!

He āporo ki taku pouaka kai i te rā nei, tēnā koa?
Can I have an apple in my lunchbox today, please?

Ehara, ehara, e te tau!
Absolutely, my darling one!

Kei te pai koe? Ko tō rā tuatahi tēnei
Are you ok? This is your first day

Ehara, ehara! Me peka tītoki au!
Absolutely! I need to harden up!

WHAKAUTU
RESPONSE

The following idioms are perfect for when your child or children are getting a bit 'too big for their boots' and maybe stepping over the line with the type of language they are using. 'Kei pakē mai tō reo' (*Don't use that tone with me*) is always a good line to have up your sleeve. Hēoi anō, here are some more colloquial-style responses that can have a bit of sting in them, so deliver them with a bit of nice flavouring, the message will still get through.

Kāti te patu taringa! — *Stop battering my ears!*

Māmā, kei te pīrangi rare au! (×5) — *Mummy, I want some lollies! (×5)*

Hei, kāti te patu taringa! — *Hey, you're giving me an ear ache!*

Pāpā, me haere tāua ki te toa! (×5) — *Pāpā, let's (you and I) go to the shop! (×5)*

Kāti te patu taringa, e tama! — *Stop battering my ears, boy!*

(Kei te tīorooro ngā kōtiro o te whānau) — *(The girls of the family are screaming)*

Hei, koutou, kāti te patu taringa! — *Hey, you guys, stop killing my ears!*

Engari mō tēnā — *That'll be the day*

Māmā, he moni āu māku? — *Māmā, have you got some money for me?*

Engari mō tēnā! Kāore anō koe kia whakapai ruma — *That'll be the day! You haven't cleaned your room yet*

E pai ana kia kai aihikirīmi au? — *Can I have an ice cream?*

Engari mō tēnā! — *That'll be the day!*

Pāpā, me hoki ki te regular
   show, hei aha te
   whutupōro!
Engari mō tēnā!

*Pāpā, go back to the regular
show, never mind (watching)
the rugby!*
That'll be the day!

Māu rawa te kōrero!

You're one to talk!

Āhua koretake koe ki te
   kanikani
Māu rawa te kōrero!

*You're not that good at
dancing*
You're one to talk!

Kāore ō kōrero pai mō ētahi
   atu, nē?
Māu rawa te kōrero!

*You've got nothing good to
say about others, have you?*
You're one to talk!

He kaiponu ia! Kāore e
   tohatoha!
Māu rawa te kōrero!

*He/She is selfish! He/She
doesn't share!*
You're one to talk!

Koirā anake te mahi e pahawa i a koe!

That's all you're good for!

Kua tīwekaweka anō i a koe
   tō ruma moe, koirā anake
   te mahi e pahawa i a koe,
   he whakatīwekaweka
   rūma!

*You've messed up your room
again, that's all you're good
for, messing up rooms!*

Auē, kua tiko anō koe i tō
   kope, pēpi?
Koirā anake te mahi e
   pahawa i a koe, nē?

*Oh no, have you wet yourself
again, baby?*
*That's all you do at the
moment, isn't it?*

Koirā anake te mahi e
   pahawa i a koe, he
   amuamu

*That's all you're good for,
moaning*

Te hiapai hoki!

Ka hinga koe i a au i te rā
    nei, Pāpā!
Te hiapai hoki!

(Kua waea te tama ki te
    whānau o tōna hoa)
I waea atu ia ki a rātou ki te
    kī atu e haere atu nei ia
Te hiapai hoki!

I ngana tā tātou kurī iti ki te
    patu i tērā kurī nui rā
Te hiapai hoki!

What a damn cheek!

*I'm gonna beat you today,
Dad!*
What a damn cheek!

*(The son has called the
family of his friend)*
*He rang them up to say he
was on the way*
What a damn cheek!

*Our little dog tried to take on
that big dog over there*
What a damn cheek!

Whakaputa mōhio!

Homai ki a au, mōhio au me
    pēhea!
Whakaputa mōhio!

Kaua e pēnā, me pēnei kē

Whakaputa mōhio!

Mō te whakaputa mōhio,
    kāore he painga i a koe!

Know-it-all!

*Give it to me, I know how to
do it!*
Know-it-all!

*Don't do it like that, do it like
this*
Know-it-all!

*At being a know-it-all, no one
compares to you*

Mā tēnā ka aha?

Pātai mai ki a au, Pāpā!
Mā tēnā ka aha?

Māku e mārama ai koe!

Whakaputa mōhio!

*What difference will that
make?*

Ask me, Dad!
*What difference will that
make?*
*By asking me you will
comprehend!*
Know-it-all!

Waea atu ki a Māmā, Pāpā!	*Ring up Mum, Dad!*
Mā tēnā ka aha?	*What difference will that make?*
Haria ki te wharau whakatika waka	*Take it to the mechanics*
Mā tēnā ka aha? Kua pakaru kē te hamuti o tēnei waka	*What difference will that make? This car has had its day*

Tēnā pōhēhē tēnā! — *Yeah right!*

Kei te aha koe?	*What are you up to?*
Kei te tiki pihikete māku	*I'm getting a biscuit*
Tēnā pōhēhē tēnā!	*Yeah right!*
E kī ana a Tai he pai ake ia i a au ki te rīki	*Tai reckons he is better than me at league*
Tēnā pōhēhē tēnā!	*Yeah right!*
Māu taku tikiti ki a Beyoncé e hoko, Pāpā?	*Will you buy me a ticket to Beyoncé, Dad?*
Tēnā pōhēhē tēnā!	*Yeah right!*

Whakangaro atu koe! — *Get lost!*

(Teina ki te tuakana)	*(Younger sibling to older sibling)*
Kei a au te wā ki te punua īPapa	*It's my turn to use the iPad mini*
Whakangaro atu koe!	*Get lost!*
He pai ake a Johnson i a Thurston, nē Pāpā?	*Johnson is better than Thurston, eh Dad?*
Whakangaro atu koe!	*Get lost!*

(Kei te mātaki whutupōro te pāpā. Ka uru mai ngā tamariki me te hoihoi hoki!)

(The father is watching rugby. The kids come in making heaps of noise!)

Whakangaro atu koutou!

Get lost you guys!

Ka mahue te . . .

You should have . . .

I ngaro i a au taku tare ki te puna reo

I lost my doll at pre-school

Ka mahue te waiho ki te kāinga

(You) should have left it at home

I mau au, e rima mita i te paepiro

I got caught, five metres before the try line

Ka mahue te maka ki tō hoa tūtata

(You) should have passed it to your closest teammate

I makariri au i te rā nei

I was cold today

Ka mahue te mau kākahu matatengi

(You) should have worn warm clothes

And here are a few more one-liners you might want to throw in to your conversations here and there:

Meinga! Meinga!	*Is that so!*
Tō ihu!	*Butt out!*
Nā whai anō	*Well that explains it*
Ākene koe i a au!	*You watch it or else!*
Nā wai tāu?	*Says who?*
Kāore i a au te tikanga	*My hands are tied*
Nāwai rā, nāwai rā	*Eventually*
Āe mārika!	*For sure!*
Hoihoi koe!	*Bite your tongue!*
Anā, e pūkana mai nā	*There it is, right under your nose*
Ki konā koe mate kanehe ai	*Are you lovesick or what*
Kāore e kore	*Without a doubt*

Hei aha atu māku?	*Why should I care?*
E rua, e rua!	*Two of a kind!*
Kāti i konei!	*This ends here!*
Pakaru mai te haunga!	*How terribly offensive!*
Te tū mai hoki o te ihu	*What a snob*
Kua mau tō iro?	*Have you learnt your lesson?*
He kōrero i pahawa	*All talk, no action*
Kaitoa!	*Serves you right!*
Nō hea te upoko mārō e aro	*He's too stubborn to understand*
Nā wai hoki tātou i a koe!	*Look what you've got us into!*
Ko wai koe?	*Who do you think you are?*
Ka kai koe i tō tūtae!	*You will regret it!*
Parahutihuti ana te haere!	*Couldn't see them for dust!*
Nāna anō tōna mate i kimi!	*She thought she knew better*
Puku ana te rae!	*He hit the roof!*
I reira te mahi a te tangata!	*The place was packed!*
Kei noho koe!	*Don't even think about it!*
Kaikainga ngā taringa	*Got an earful*
Engari tonu	*You bet/For sure*
He aha hoki!	*No way!*
Aua atu	*Don't worry*
Kua taka te kapa	*I get the picture*
Hei aha māu!	*Mind your own business!*
Me karawhiu!	*Give it heaps!*
He rā nō te pakiwaru!	*It's very hot today!*
Me hāngai te kōrero!	*Don't beat around the bush!*
Āmiki rawa tēnā!	*Too much detail/information!*
Pōuri atu!	*Make way, I'm coming through!*
Engari koe!	*Gee, you're the man!*
Nāia!	*Here it is/Here you go!*
Kātahi rā hoki!	*How astonishing! (Good or bad)*
I wāna nei hoki!	*Poor thing!*

Ka aroha kē!	*How sad!*
Mō taku hē!	*I'm sorry!*
Nē?	*Is that so/Really?*
E kī rā!	*Is that so/You don't say?*
Te anuanu hoki!	*Whoa that's disgusting/ugly!*
Kei konā au!	*I'm with you on that!*
Kia ahatia!	*So/So what!*
Kāti te horihori!	*Stop telling lies!*
Koia! Koia!	*That explains it!*
Kua oti te ao!	*That says it all!*
Koinā tāku!	*That's what I reckon/think!*
Kua riro māna ināianei	*The ball's in his court now*
Auare ake!	*To no avail!*
Tē taea e rātou!	*They haven't got a chance*
Mā koutou anō koutou e kuhu!	*You can fend for yourselves!*
Me ko au koe . . .	*If I were you . . .*
Ka patu tōna pīkaru	*Fast asleep/Out to it*
Hika mā!	*For crying out loud!*
Tōna tikanga	*Supposedly*
Kotahi atu	*Make a beeline for*
Ngutu huia!	*Know-it-all!*
Kāore e nama te kōrero	*Has an answer for everything*
Te weriweri rā	*That creep!*
Tuhia ki tō rae	*Never ever forget it*
Kātahi te whakaaro pōhēhē ko tēnā!	*What a daft thought!*
Kei tāwauwau kē koe!	*You are way off track!*
Kāore he painga i a ia!	*No sweat to him/her!*
Kua hiki te kohu?	*Get the picture?*
Mea rawa ake . . .	*Next minute . . .*
Tiro pī	*Look at with doubt or suspicion*
Manohi anō	*On the other hand*
Kua kino kē ngā piropiro	*In a foul mood*

Hanepī tonu atu	*Dumbfounded*
Hau pirau!	*Exaggerating/Laying it on thick!*
Ka kari tonu!	*Still digging/persisting!*
Kua tangi kurī	*Crying for nothing*
Kua pakaru te pūkoro!	*Broke!*
E mea ana koe!	*Of course (you should know that)!*

18. TAKE KŌRERO
HOT TOPICS

As a final inclusion, we wanted to add the following conversation topics as things that parents are often asked about. We realise anyone in your whānau could pick up this book, so we'll just offer some thought-starters, and not go into the 'āmiki rawa' or 'too much information' zone! If you do need more information, organisations like Water Safety NZ and the Fire Service create te reo Māori resources, tau kē!

KIA HAUMARU
BEING SAFE

HAUMARUTANGA AHI
FIRE SAFETY

Mā ngā pakeke anake ngā kānara e tahu, nē?
Only adults light candles, don't they?

Ehara ngā māti i te taputapu tākaro
Matches are not a toy

Ki te tūpono koe ki te māti, te pūahi rānei, hoatu ki tētahi pakeke
If you discover a match, or lighter, give it to an adult

He pūoho auahi tēnā – ki te tangi te pūoho, me aha tātou?
That's a smoke alarm – if the smoke alarm goes off what do we do?

Ka mutu tonu tā tātou mahi, ka tere te puta i te whare
Stop whatever we're doing and get out of the house straight away

Ka puta ki waho, ka noho tonu ki waho
Get out and stay out

Kaua e hari taputapu tākaro, aha rānei, me puta ki waho
Don't take any toys, or anything else, just get outside

Nā te mea he kura tongarewa koe – kāore he kura matahiapo i tua atu i a koe!
Because you're extremely precious – there's nothing more precious than you!

Ka puta ki waho, ka tūtaki tātou i te wāhi haumaru
We go outside to the safe meeting place

Ka tae mai te waka tinei ahi, ā, mā ngā kaipatu ahi me ā rātou whakapoko ahi, ngongo wai nui te ahi e patu
The firetruck will come, the firefighters with their extinguishers and big water hoses will put out the fire

Me tuohu te tangata ki te mana whakahaere o Mahuika!
People must defer to the power of Mahuika (goddess of fire)

HAUMARUTANGA WAI
WATER SAFETY

He mana nui tō te wai, me kauanuanu tātou i te mana o te wai
Water is very powerful, we need to respect the power of water

Kaua e whakatata ki te wai mēnā kāore he pakeke i tō taha
Don't go close to the water if there isn't an adult with you

He rawe te tākaro ki te wai, engari me whai koe i ngā tohutohu kia haumaru ai koe
It's so fun playing in the water, but you have to follow instructions to be safe

Me ako koe ki te mānu, ki te kauhoe, kia pakari ai koe i roto i te wai
You need to learn to float and to swim so that you'll be confident in the water

Me haere tātou ki hea kaukau ai? Āe! Ki waenganui i ngā haki manapou!
Where should we go to swim? Yes! In between the lifeguard flags!

Kaua e kaukau mēnā kāore ō hoa, kāore he pakeke i waenganui i a koutou
Don't swim if you haven't got anyone with you, or any adults with you

Me whakaute tātou i te mana o Tangaroa
We should recognise the power of the sea

Ki te haere mā runga waka moana, me mau kahutere
If you go on a boat you have to wear a lifejacket

He tangata noa iho te tangata, he atua kē a Tangaroa, nō reira ki te haere tātou ki tōna takiwā, kei a ia te tikanga mō ā tātou mahi
A person is just a person, but Tangaroa is a god, so if we go to his place (the sea) we do so on his terms

KIA HAUMARU I TE HUARAHI
TO BE SAFE ON THE ROAD

You may have heard that catchy jingle 'it's better to wait til you're 1-4-8!' – let's see if we can make it, and other well known catch-cries, rhyme in Māori too.

Tae noa ki kotahi rau whā tekau mā waru, me whai tūru tonu, kia haumaru!
Until 1-4-8, you still need a seat, to be safe!

Pakō! Pakō! Whakapakō i tō tātua haumaru, kia mau tika rā!
Click, click! Make your belt click so you're buckled in right!

Whakamaua tō pōtae mārō kia tika, kia kikī!
Put your helmet on – on right, on tight!

Whakamaua tō pōtae mārō i te wā e eke pahikara ai, e eke kōneke ai
Wear your helmet everytime you're on your bike or on your scooter

Kia mataara ki te waka e puta ana i ngā ara waka, ka kore pea te kaihautū e kite i a koe
Look out for cars coming out of driveways, the driver may not see you

E tū, whakarongo, titiro; matau, mauī, matau – kāore he waka?
Me whakawhiti mā te wāhi haumaru o te huarahi
Stop, listen, look; right, left, right – no cars? Cross at the safest part of the road

Me hīkoi tātou ki te rewarangi, whakawhiti ai
We should go to the pedestrian crossing and cross there

Me wānanga tātou, he aha te ara haumaru ki te kura, ā, ka haere mā taua ara
We should all consider which is the safest route to school and you will go that way

KIA HAUMARU I TE HAPORI
BEING SAFE IN THE COMMUNITY

Having a whānau wānanga to decide the safety rules that best work for your whānau is a strategy experts recommend, so we need to know the right questions to ask!

Ko wai mā ō hoa haere mō te hīkoi/eke pahikara ki te kura?
Who are your friends who will walk/bike with you to school?

Ki te pīrangi koe ki te toro i tētahi hoa ā muri i te kura, he aha ngā hātepe hei whai?
If you want to visit a friend after school, what are the steps you should follow?

Kei te mōhio koe ki taku nama waea?
Do you know my phone number?

Ki te kore au e whakautu, ka waea atu koe ki a wai? Ko wai mā ngā pakeke e whakaae ana tātou, he pou āwhina mō tō tātou whānau?
If I don't answer, who will you ring? Who are the adults we (all of us) agree are reliable people for our whānau?

Mēnā kāore he pakeke i tō tātou kāinga, ka aha koe?
If there's no adults at our house, what will you do?

Ki te kōrero mai tētahi tauhou ki a koe, ka aha koe?
If a stranger talks to you, what will you do?

Ki te pātōtōhia te kūaha e tētahi tauhou, ka aha koe?
If a stranger knocks at the door, what will you do?

Tēnā, kua tau, kōrero mai anō, he aha ngā tikanga haumaru mō tēnei whānau?
So, that's settled, tell me again, what are the safety agreements we've made for this whānau?

KIA HAUMARU I TE AO MATIHIKO
BEING SAFE ONLINE
We have spoken about this a bit in the Technology chapter, but here's a few more cyber-safety phrases.

Kua whai tātari haumaru te rorohiko
The computer has a safety filter

Kaua rawa e tuku i tō ingoa, i tō wāhi noho, i ngā kōrero tūmataiti rānei ki te hoa tuihono

Never give out your name, address, or personal details to an online friend

Kua wānanga tātou i ngā tikanga kia haumaru ai koe i te ao hangarau; kua waitohu i tā tātou kirimana matihiko, nō reira e whakapono ana au ka pai koe

We (all of us) have spoken about the right protocols to keep you safe online; we've signed our digital contract, so I trust you will be good

HE MIHI
ACKNOWLEDGEMENTS

Inā te huhua o ngā pouako, ngā poutokomanawa me ngā mātanga reo e mihia ana, e whakamihatia ana e mātou ia rā, ia rā, arā, i roto i te momo reo e kōrerotia ana e tō mātou whānau, i roto i ngā rautaki ka whāia, i roto hoki i te whakapaunga o te kaha ki te tohatoha i te mana whakaaweawe o te reo Māori ki ētahi atu. Ko te momo i a Hana O'Regan, i a Te Haumihiata Mason me ō mātou hoa piripono o te rōpū Māori 4 Grown Ups kei te whakaaweawe i a mātou kia eke panuku. Ko te kāhui ahorangi nei, a Wharehuia Milroy, Pou Temara me Tā Tīmoti Kāretu kei te arahi tonu i a mātou kia eke Tangaroa.

There are many teachers, mentors and advocates we acknowledge every day, in the language we use, the approach we take, and the continued effort to share the enriching power of Māori language. Professors Wharehuia Milroy, Pou Temara and Sir Tīmoti Kāretu are some of our leading lights, as are Hana O'Regan, Te Haumihiata Mason and our Māori 4 Grown Ups whānau.

E mihi motuhake ana ki a Ian Cormack rāua ko Te Mihinga Kōmene i te whakaaro nui kia tukua mai ō rāua mōhiotanga me ā rāua kupu mō ngā hangarau whānui o te wā.

Special thanks to Ian Cormack and Te Mihinga Kōmene who generously shared their knowledge of language for technology.

Ko ngā tino kaiwhakaako i a māua, ko ngā kura matahīapo i kohaina mai ai e te wāhi ngaro ki a māua, arā, ko ā māua tamariki, a Hawaiki, Kurawaka me Maiana. Kāore he harikoa i tua atu i te noho hei mātua ki a koutou, nō reira, nei te mihi arohanui ki a koutou i te kaha o te āwhina i a māua ki te ako, i te kaha o te tautoko i te huatau kia tapatahi tātou. Ko te aroha ki a koutou, he teitei ake i te rangi, he hohonu ake i te moana, he whānui ake i te ao tukupū.

Our greatest teachers and treasures are, and will always be, our tamariki, Hawaiki, Kurawaka and Maiana. Being your parents is the greatest joy we have ever known, thank you always for helping us learn, and being part of sharing what we learn together. Our love for you is higher than the sky, deeper than the ocean, and wider than the universe.

E tohua ana tēnei pukapuka ki a Te Kauhoe Wano, he hoa, he ringa taumau, he pouako. Kōrengarenga ana te puna o te aroha ki a koe, TK.

This book is dedicated to Te Kauhoe Wano, our friend, match-maker, and teacher. We love you, TK.

Scotty and Stacey Morrison
June 2017

More te reo Māori titles from Penguin Random House

HE PĀTAKA KUPU

The Māori Language Commission

He Pātaka Kupu is a taonga – a landmark Māori-only language resource. Containing almost 24,000 entries, it is a comprehensive and authoritative dictionary of the Māori language for proficient speakers.

MĀORI MADE EASY

Scotty Morrison

Fun, user-friendly and relevant to modern readers, Scotty Morrison's *Māori Made Easy* is the one-stop resource for anyone wanting to learn the basics of the Māori language.

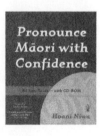

PRONOUNCE MĀORI WITH CONFIDENCE

Hoani Niwa

This book and CD set gives readers the basics on how to pronounce Māori correctly, explaining: the Māori alphabet, pronunciation, syllables, commonly mispronounced words, frequently used words, and the names of people, places and tribes.

THE RAUPŌ BOOK OF MĀORI PROVERBS

A.E. Brougham and A.W. Reed, revised by Tīmoti Kāretu

Proverbs (or whakataukī) express the wisdom, wit and commonsense of the Māori people. This comprehensive and dependable book serves as both a useful reference and an insight into values of the Māori.

THE RAUPŌ CONCISE MĀORI DICTIONARY

A.W. Reed, revised by Tīmoti Kāretu and Ross Calman

The Raupō Concise Māori Dictionary is an invaluable reference work, providing an essential list of Māori words and their English equivalents.

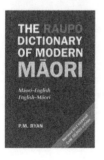

THE RAUPŌ DICTIONARY OF MODERN MĀORI

P.M. Ryan

This dictionary by P.M. Ryan, one of New Zealand's leading Māori-language scholars, is the most comprehensive and up-to-date available.

THE RAUPŌ ESSENTIAL MĀORI DICTIONARY

Margaret Sinclair and Ross Calman

The Raupō Essential Māori Dictionary is an invaluable introductory dictionary for students of te reo Māori.

THE RAUPŌ PHRASEBOOK OF MODERN MĀORI

Scotty Morrison

The Raupō Phrasebook of Modern Māori is a versatile and relevant resource for using Māori language in everyday life. The user-friendly guide for all New Zealanders.

THE RAUPŌ POCKET DICTIONARY OF MODERN MĀORI

P.M. Ryan

The Raupō Pocket Dictionary of Modern Māori is a portable reference for speakers of English and Māori at all levels.